CONTOS ASSOMBROSOS

CB036842

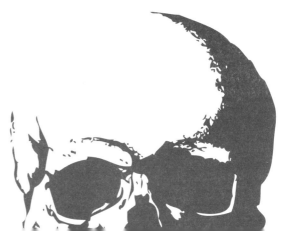

Há fatos que acontecem e permitem uma explicação.
Assim que são explicados, eles são esquecidos.

Há outros que acontecem e nunca serão explicados.
Esses também serão esquecidos.

Há, no entanto, alguns fatos para os quais passaremos a vida toda
buscando explicações sem nunca encontrá-las.

Fatos como esses jamais serão esquecidos.

© 2016 do texto por Edson Gabriel Garcia

Callis Editora Ltda.

Todos os direitos reservados.

1ª edição, 2018

Texto adequado às novas regras do Acordo Ortográfico da Língua Portuguesa

Coordenação editorial: Miriam Gabbai

Editora assistente: Áine Menassi

Revisão: Ricardo N. Barreiros

Projeto gráfico, diagramação e capa: Thiago Nieri

CIP-BRASIL. CATALOGAÇÃO-NA-FONTE

SINDICATO NACIONAL DOS EDITORES DE LIVROS, RJ

G21c

Garcia, Edson Gabriel

    Contos assombrosos / Edson Gabriel Garcia. - 1. ed. - São Paulo : Callis Ed., 2018.

    72 p. ; 23 cm.

    ISBN 978-85-454-0053-0

    1. Ficção infantojuvenil brasileira. I. Título.

18-47275	CDD: 028.5
	CDU: 087.5

19/01/2018   19/01/2018

ISBN 978-85-454-0053-0

Impresso no Brasil

2018

Callis Editora Ltda.

Rua Oscar Freire, 379, 6º andar • 01426-001 • São Paulo • SP

Tel.: 11 3068-5600 • Fax: 11 3088-3133

www.callis.com.br • vendas@callis.com.br

Edson Gabriel Garcia

CONTOS ASSOMBROSOS

callis

SUMÁRIO

PROCURANDO SÍLVIA   9

O MANEQUIM   15

NO ELEVADOR   21

UM CERTO CASACO DE COURO   25

A MÁSCARA   33

ESCRITURAS   43

ALMAS INCENDIADAS   49

ELES   55

O PACTO   65

PROCURANDO SÍLVIA

O pequeno pedaço de papel com o endereço queimava as mãos de Jorginho. Não por raiva, ciúme, ódio ou qualquer outro sentimento dessa natureza. O sentimento era outro, algo entre a desconfiança, o medo, a surpresa.

— ... Eu conheço a avenida... Agora me lembro... Sei onde fica... Só pode ser brincadeira... brincadeira de mau gosto... mas de quem???

Jorginho segurava o pedaço e papel enquanto o ônibus rodava depressa pelas ruas da cidade tomando o rumo mais distante e afastado indicado pelo endereço. O papel queimava diante dos olhos dele, ardia, apimentava uma emoção nova, diferente, que até então ele não experimentara com Sílvia. Das mãos, a mensagem com o endereço subia pelo braço e encontrava no peito a moradia ardente. Um calor indefinido, que causava uma sensação estranha, diferente do amor gostoso e calmo que sentia pela menina.

"Tudo bem", pensava, "é um amor novo ainda, cerca de três meses, mas de tempo suficiente para me dar a segurança de um relacionamento firme, intenso, confiável, duradouro".

Também pensava no sumiço inesperado de Sílvia. Havia uma semana que ela simplesmente desaparecera, sem deixar pista, mensagem, rastro ou notícia. Ele tinha dela apenas o número de um telefone celular, que àquela altura nunca mais fora atendido, e o ponto de encontro na praça perto da escola, onde eles

PROCURANDO SÍLVIA

se encontravam quase todo dia. O conhecimento que tinha dela, além desses, eram vagas informações sobre sua família, de uma cidade distante do interior, que morava com uns parentes, que viera em busca de vida melhor, que ainda não tinha conseguido trabalho, que fazia pouco tempo que havia chegado, que gostava de ler, que... Essas pequenas conversas bastavam e ele sentia que não precisava de nada mais além disso. Sentia que isso era suficiente, pelo menos por ora. A calma e a tranquilidade, um jeito de falar adocicado, um modo de nunca se irritar, como se a vida fosse coisa pequena e meramente passageira, faziam dela uma pessoa absolutamente confiável, sincera. Sílvia falava pouco, mas compensava isso com uma compreensão imensa de todas as coisas que ele falava. Ela entendia e acatava todas as conversas, sempre muito rápidas e intensas dele. Jorginho queria viver tudo, o tempo todo, sonhava e planejava seu futuro com gulodice; ela parecia mais sonhar com o passado do que se preocupar com os dias seguintes. "Ninguém sabe do futuro, Jorginho", era uma de suas frases prediletas. À qual Jorginho acrescentava: "É verdade, a gente até pode não saber, mas com certeza quer fazer um futuro do seu jeito." Ela ria e concordava.

Depois de dois dias sem dar notícia, Jorginho, entre estranhado e irritado, ligava insistentemente para o número do celular que ela havia lhe dado. Nenhum sinal, nenhuma mensagem de voz, nenhuma ligação completada. Perguntar aos amigos pouco adiantava. Nenhum deles conhecia Sílvia. Não era da turma, não era da escola, não era do bairro.

Quando desabafou com o Léo, o que ouviu foi: "É isso que dá se meter com quem a gente não conhece... Agora aguenta, cara!"

Não era bem essa resposta que queria ouvir do amigo, mas ele tinha razão. Ninguém por ali sabia coisa alguma dela. Também porque Jorginho sumia do mundo quando estava com Sílvia.

Nos dias seguintes, já havia desistido de falar com ela pelo telefone, vagava o dia todo de ônibus pela cidade, sem rumo, descendo de um e tomando outro, descendo em lugares que não conhecia ou em praças que lhe pareciam ser semelhantes às praças onde estivera sentado com a namorada. Em vão. Na escola, nenhum ensinamento dos professores era capaz de chamar a sua atenção ou fisgar a sua concentração por mais de alguns segundos. Abria e fechava cadernos e livros como quem abre e fecha os olhos sem pensar e sem sentir. Andava olhando insistentemente para os lados, como se estivesse sendo seguido por ela e, a qualquer movimento brusco com a cabeça, seus olhos encontrariam os olhos calmos, serenos e pretos dela. De nada adiantava. A aflição tomava conta de todo a sua alma. Sem desejo, que não fosse o de encontrá-la, pouco falava, quase não comia e não conseguia dormir, pois bastava fechar os olhos e a imagem serena e bonita dela tomava conta de seu pensamento.

Mais um dia sem notícias dela.

Mais outro sem nada saber.

No sexto dia sem ter notícias dela e sem falar com ela, Jorginho viu um pedaço de papel de cor levemente amarelada, como se estivesse ali há muito tempo, perdido entre as páginas 67 e 68 do seu livro didático de Língua Portuguesa. O texto era curto, objetivo e preciso. Com uma letra cursiva, que vagamente lembrava a letra de Sílvia, pois também não tinha certeza se conhecia bem a caligrafia dela, o texto dizia: "Jorginho, encontre-me na Avenida da Saudade, 625, quadra 18, lote 11. Beijo, Sílvia."

Era esse o pedaço de papel que queimava sua mão, seu coração, seu corpo e turvava sua lucidez.

No primeiro momento, Jorginho achou que aquilo fosse brincadeira de algum colega, mas em seguida, quando levou o papel ao nariz e sentiu o cheiro doce da namorada, descartou essa possibilidade. E também achou que dificilmente alguém apanharia seu livro sem que ele percebesse. Certo ou errado em sua percepção, Jorginho decidiu que sairia imediatamente da escola e seguiria o convite do bilhete. Afinal aquela tinha sido a primeira e única pista do paradeiro dela nos últimos seis dias. Iria arriscar.

— Ei, aonde você vai, cara? Esqueceu que a gente tem provas na próxima aula... — perguntou Gabriel, quando viu o amigo arrumando o material escolar e indo em direção à porta da sala tão logo o sinal de encerramento da aula tocou.

PROCURANDO SÍLVIA

— Segura aí, cara. Inventa qualquer coisa pra professora. Diz que foi emergência em casa... — respondeu.

— Aonde você vai assim com cara de maluco? — insistiu o amigo.

— Depois eu explico. Agora *tô* indo nessa...

E saiu. Riscou apressado o espaço de seis ou sete metros entre sua carteira e a porta da sala. Ganhou rapidamente o corredor, passou pelo bedel, que ficou olhando a figura ligeira dele quase correr em direção à saída. Na rua, dirigiu-se ao ponto de ônibus. Entrou no primeiro que passou, perguntou ao motorista alguma coisa, ouviu a resposta, sentou-se num dos bancos vagos e desceu alguns pontos adiante. Tomou outro ônibus, por indicação do motorista anterior, sentou-se, segurando o bilhete numa das mãos, a mochila da escola no colo, e esperou.

Já era quase cinco e meia da tarde quando Jorginho desceu do ônibus, bem próximo do número indicado pelo bilhete. Uns vinte metros adiante e ele chegaria bem em frente ao número 625, da conhecia avenida. Agora ele tinha total certeza de que conhecia o lugar. Bem distante do centro da cidade, no alto de uma das pequenas colinas, das muitas que a cidade fora ocupando com seu crescimento. Lugar calmo, sossegado, distante do barulho agitado que toma conta da vida cotidiana da cidade grande. Embora a cidade crescesse para todos os lados, por ali o crescimento fora menor e um certo silêncio respeitoso tomava conta do lugar. Jorginho caminhou os metros que o separavam do portão de ferro alto e escurecido. O portão principal tinha duas partes, uma das quais ficava fechada, com um trinco no chão, e a outra estava aberta, escancarando um convite delicado a quem passasse por ali. No alto, no pedaço de parede que encimava o portão, o número 625 e o nome do lugar: "Cemitério São Lucas."

Jorginho entrou, um leve vento soprou seu rosto. Uma sensação gostosa de frescor no rosto que ardia, contrastando com o desespero que intranquilizava seu coração. Pensou em voltar, sair dali, voltar para a escola ou para sua casa, em busca da segurança que não sentia ali. Mas teimou em continuar, sem certeza nenhuma, sem vontade alguma, sem saber mesmo o que fazia ali. Localizou as informações complementares: quadra 18, lote 11. Logo na entrada, um imenso painel indicava com setas a direção a seguir: quadras de 01 a 26, à esquerda; quadras de 27 a 52, à direita. Ele virou automaticamente à esquerda e continuou a seguir a informação, contando mentalmente a sequência das quadras. Rapidamente chegou à quadra 18. A boca seca, a noite anunciando sua chegada, substituindo o final de tarde, os passos lentos, o olhar apressado. Foi chegando ao lote 11, um coração desesperado pedia em oração silente que tudo não passasse de brincadeira de mau gosto, de uma ligeira loucura incompreensível, de...

No lote 11, fora erguido um túmulo de mármore cinza-claro, de linhas retas, com poucos detalhes, algumas marcas de tempo passado da construção e do abandono. Uma cruz talhada no próprio mármore, na cabeceira do túmulo, indicava o nome do morto, as datas de nascimento e morte: Sílvia Maria Lourenço, 27 de abril de 1988 e 18 de maio de 2006.

Jorginho engoliu a secura que tomava conta de sua boca, os olhos presos na cabeceira do túmulo, as pernas trêmulas, o coração descompassado.

Jorginho teria ido embora antes que a noite chegasse e sem entender coisa alguma se não tivesse visto algo próximo das letras e números. Ele afirmou a vista no resto de claridade do fim de tarde e procurou identificar o que via. Como teve dificuldade para identificar o pequeno objeto, aproximou-se um pouco mais, mais e mais, até poder distinguir uma pequena caixa de plástico, com uma moldura dourada. Ele pegou o objeto e examinou-o mais de perto. Era uma espécie de porta-retratos, que se abriu imediatamente ao leve toque de um pino lateral. Abriu-se em dois e o que ele viu paralisou-o definitivamente grudado no chão.

De um lado, uma foto, a foto de Sílvia, a Sílvia que ele conhecia. Do outro lado, escrito com sua própria letra: *Sílvia, ninguém jamais nos separará. Jorginho.*

No dia seguinte, o túmulo do lote 11, da quadra 18, estava semidestruído. Na escola, ninguém mais viu o Jorginho.

O MANEQUIM

Waltinho ouviu novamente o mesmo som, parecido com o barulho seco gerado pelo movimento de duas mãos cruzadas fazendo estalar os ossos dos dedos. Mas ele estava sozinho no pequeno quarto que alugava na pensão barata. A luz estava apagada e apenas a leve claridade de um abajur iluminava debilmente o espaço diminuto. Depois de um duro dia de trabalho na fábrica de manequins, ele descansava o corpo estirado na cama, antes de sair para comer alguma coisa. Ele ergueu o corpo do colchão e acendeu a lâmpada pendurada em um fio no meio do quarto. Olhou fixamente para a Dorinha, mas ela permanecia, como sempre, sentada na única cadeira disponível no cômodo. Dura, imóvel, olhos fixos em algum lugar vazio, Dorinha mantinha a mesma posição formulado por Waltinho. Nem havia como ela mudar sozinha, sem a intervenção dele.

Waltinho deitou-se novamente, voltando o corpo à posição horizontal, mas não fechou os olhos e manteve os ouvidos bem mais ligados do que antes.

De novo, como se fosse um invasor, o mesmo som ouvido antes. Um estalar de ossos, de músculos, algo assim. Um barulho que era fruto de movimento humano, tinha certeza. Mas humano, ali naquele espaço exíguo, somente ele. Ou...

O MANEQUIM

"Não... Não... Será que estou ficando louco!", pensou. "Será que a Dorinha...?"

Nem terminou o pensamento e outra vez ouviu o mesmo barulho. E outra... Outra... Mais outra... E todos os barulhos vinham da mesma direção.

Waltinho olhou cuidadosa e cautelosamente para Dorinha, tinha certeza de que o barulho vinha dela, temendo encontrar nela a verdade que não queria saber. Mas o que temia estava ali diante de si, na sua cara, provocando sua coragem, desafiando sua vida: Dorinha estava viva, tinha movimentos, era dona de movimentos e começava a mexer os lábios e formular algumas palavras. Ele se aproximou um pouco mais, quase apaixonado por Dorinha. Ela; de olhos delineados; lábios vermelhos torneados; cabelos negros, sedosos e esparramados descuidadamente sobre o rosto. Beleza e maldade, uma combinação possível naquela noite e naquele pequeno cômodo silencioso. Mas Waltinho nem teve tempo de apreciar a beleza dela, pois seu instinto maldoso ganhou vida quando ela ergueu os dois braços, fazendo o barulho de antes, aproximou suas mãos duras do pescoço dele e apertou suavemente.

—

Por um instante, numa fração de segundo, como num filme de longa metragem abreviado, ele rememorou a história de Dorinha em sua vida.

—

Waltinho tinha lá os seus quase 30 anos, o curso médio de técnico em decoração, um histórico de poucos amigos, muitos empregos de curto tempo e nenhuma namorada. Nem agora e nem antes. Achava-se um cara feio, desinteressante, de pouco assunto e pouca prosa, de estatura pequena e uma certa queda para a solidão. Há tempos havia saído de casa, em busca do seu espaço ou do seu destino, como tentara explicar à chorosa mãe na despedida. Tempos depois, pouco se lembrava da mãe, quase nada da irmã mais moça e nada do pai. Ficaram para trás, na poeira do calendário. Como namorado ou amante, tentara algumas vezes se aproximar de uma menina, mas nunca tivera êxito. Na primeira ou segunda aproximação, o "não" batia presença. Doía muito, mas ele se recompunha e tocava a vida adiante, cheio de vontades, desejos e buracos para preencher em sua existência amorosa. Círculo vicioso que se fechava ainda mais numa vida sem sal e açúcar que ele levava. Não era má pessoa, nem guardava raivas, e tinha uma paciência incrível e meticulosa aguardando os acontecimentos do futuro.

No último emprego, lá estava há cerca de dois anos, trabalhava em uma empresa que produzia manequins para lojas e eventos. Um trabalho que não reconhecia nele um talentoso e promissor técnico em decoração, mas que permitia a ele exercitar a criatividade que o acompanhara desde garoto. Era ali, criando manequins, modelando-os e dando-lhes acabamento quase humano que se encontrava, que bebia pequenas doses de prazer e que tirava sustento para os poucos e contidos gastos pessoais. E foi nesse trabalho que ele conheceu Dorinha. Ou melhor: que ele criou a Dorinha.

Tudo começou quando ele viu um cômodo pequeno entulhado de restos e sobras de outros manequins. Pedaços soltos, quebrados, restos, peças malformadas. Aquilo chamou imediatamente sua atenção. Tanto que, todo santo dia, Waltinho gastava algum tempo da hora e meia de seu almoço apreciando e mexendo na quinquilharia. As peças ficavam armazenadas em prateleiras toscas, umas em cima das outras, divididas por partes do corpo humano: braços, pernas, pés, mãos, troncos e cabeças. As cabeças eram poucas e todas muito feias, faltando pedaços de nariz, orelha, ou olhos furados e boca com lábios detonados. Certamente, ninguém gostaria de expor manequins com essas cabeças.

Um tal dia, sem mais nem menos, ele separou um tronco feminino, não muito grande, seios bem delineados, cujo único defeito era uma pequena desproporcionalidade entre os ombros, o direito maior do que o esquerdo. Fora isso, perfeito. Outro dia, separou uma perna, não sem antes procurar e procurar. Foi difícil, mas conseguiu separar uma perna de que ele gostara. Uma só, mas já valeu o esforço do almoço perdido.

— O que você tanto faz no "necrotério", Walter? — perguntou-lhe a encarregada da fiscalização e separação das peças.

— Nada. Acho interessante ver as sobras... — respondeu sem muita vontade.

O MANEQUIM

— Que mau gosto! — insinuou maldosamente a moça, querendo provocar alguma reação dele.

Ele não simpatizava nem um pouco com a moça e muito provavelmente a antipatia era recíproca. Despistou a continuidade de conversa com ela e ficou a pensar no "necrotério". A começar pelo nome, apelido bem interessante. À semelhança dos vivos, os manequins tinham também o seu necrotério.

Ninguém entendeu muito bem quando Waltinho pediu para o dono da empresa se podia levar para sua casa aqueles pedaços de manequins.

— Pra que você quer isso, Walter?

— Vou remontar e dar de presente para um sobrinho... — mentiu.

— Pode levar o que quiser.

Waltinho levou tudo para o seu quarto alugado e começou a montar um manequim feito com as sobras retiradas do "necrotério". Só não tinha cabeça, mas, essa peça, ele queria fazer uma nova, sem defeitos.

E assim foi, mais alguns dias e o seu manequim ficou pronto. Era um manequim desengonçado, uma perna maior do que a outra, os pés diferentes, um braço mais magro e maior do que o outro, mãos também diferentes, femininas, mas de mulheres diferentes. A cabeça deu mais trabalho, mas ele foi fazendo aos poucos, com a autorização do dono, usando peças e materiais da empresa. Quando terminou, gostou muito do resultado, que também foi elogiado por um dos garotos que trabalhava com ele.

— Nossa, cara, parece de verdade.

— Só parece... mas não é... — respondeu acariciando o belo rosto do manequim.

Em sua casa, quando juntou todas as peças e deu forma final ao manequim, perdeu-se olhando e admirando o resultado do seu trabalho. Era um corpo de mulher, sem dúvida, um belo rosto sobre um corpo ligeiramente disforme e desconjuntado. Mas era uma mulher, uma companhia que ele nunca tivera. Waltinho ergueu a latinha da cerveja que bebia, a título de comemoração, deu um gole e disse:

— Dorinha... Você será a minha Dorinha...

CONTOS ASSOMBROSOS

Depois dessa, digamos, inauguração, ele não via a hora de voltar para casa, para o olhar penetrante e silencioso do manequim. Ficava muito tempo deitado na cama e olhando para o manequim. E imaginava, em instantes de puro prazer, se Dorinha pudesse ganhar vida humana e ser sua companheira real. Aos poucos, sua relação com o manequim foi ganhando intimidade, carinhos, carícias mais ousadas, abraços e beijos. Os primeiros beijos foram no rosto frio, para depois ganharem os lábios. Waltinho ensaiava seu amor e fazia suas descobertas amorosas com o manequim. Até o dia em que se viu apaixonado por aquela mulher e começou a exigir dela o que ela não poderia dar. Que precisava estar viva, ter uma vida, para poder corresponder aos desejos dele. Conseguia conversar mentalmente com ela. Ele pensava e ela respondia pelo próprio pensamento dele. Foi num desses diálogos monologados que ela disse a ele que a vida que precisava para dar a ele o que ele queria só poderia ter se a tirasse de outra pessoa. Waltinho, então, recuou, esfriou o relacionamento que vinha tendo com o manequim Dorinha. Distanciou-se e calou-se. Mas parecia ser tarde demais para recuar, pois sentia falta do contato físico, da conversa mental, da presença silenciosa dela. Como naquela hora, depois de um duro dia de trabalho, cansado, desejoso de uma noite de amor, à espera de algum milagre qualquer, e começou a ouvir os barulhos vindos daquela direção...

—

Waltinho olhou cuidadosa e cautelosamente para Dorinha, tinha certeza de que o barulho vinha dela, temendo encontrar nela a verdade que não queria saber. Mas o que temia estava ali diante de si, na sua cara, provocando sua coragem, desafiando sua vida: Dorinha estava viva, tinha movimentos, era dona de movimentos e começava a mexer os lábios e formular algumas palavras. Ele se aproximou um pouco mais, quase apaixonado por Dorinha. Ela; de olhos delineados; lábios vermelhos torneados; cabelos negros, sedosos e esparramados descuidadamente sobre o rosto. Beleza e maldade, uma combinação possível naquela noite e naquele pequeno cômodo silencioso. Mas Waltinho nem teve tempo de apreciar a beleza dela, pois seu instinto maldoso ganhou vida quando

O MANEQUIM

ela ergueu os dois braços, fazendo o barulho de antes, aproximou suas mãos duras do pescoço dele e apertou suavemente.

Em seguida, foi aumentando lentamente, de forma progressiva e ininterrupta, a força dos dedos e das mãos duras no pescoço de Waltinho. Até...

NO ELEVADOR

Paulinho caminhou de modo calmo os últimos metros antes de chegar à portaria do pequeno prédio de seis andares onde ele morava. Vinha de um encontro com três amigos, de uma estranha comemoração entre eles: os quatro estavam, novamente, solteiros. E se encontraram para comemorar esse fato. Eram amigos há muito tempo, desde a época do Ensino Médio, e tinham feito desde aqueles tempos passados uma promessa: nenhum deles namoraria uma moça por mais de dois meses. Isso, na prática, significava que nenhum deles se envolveria pra valer com uma mulher. E vinham mantendo a intenção prometida, um vigiando o outro, outro cobrando um, divertindo-se com as mais diversas situações acontecidas nas breves relações amorosas em que se metiam. Poderia parecer coisa de maluco. Talvez fossem, cada um a seu modo, loucos apaixonados por aventuras. E, uma vez por mês, sempre em lugares diferentes, se encontravam para comentar, descrever os casos, rir das situações e se vangloriar das conquistas ligeiras e da ausência de amarração definitiva com as mulheres. Mais do que machistas, se diziam apaixonados eternos pelas mulheres e, gostando tanto assim delas, não podiam se prender a apenas uma.

– Você quer dizer que passou o último mês em branco, sem conquistar nenhuma mulher... Nenhuminha?

– Sim... Em branco... Nada... Ninguém... – respondeu Paulinho.

NO ELEVADOR

— Como isso foi possível, Paulinho? — perguntou Henrique.

— Não sei. Aconteceu... Foi passando... Não rolou nada...

— Impossível acreditar nessa conversa, Paulinho. De todos nós, você sempre foi o maior pegador... — comentou Celsinho.

— Podem crer. Esse mês passou ligeiro, andei com outras coisas na cabeça... Nenhuma mulher despertou meu interesse...

— Cara, que conversa pra boi dormir! Logo você! Daqui a pouco vai dizer que não gosta mais de mulher... — brincou o Zé Roberto.

— Acreditem se quiserem, mas foi isso mesmo que aconteceu.

A noite avançou algumas horas, a conversa mole e molhada entre os amigos foi chegando ao fim, os assuntos todos passados a limpo. Antes de se despedirem, marcaram o novo encontro para o mês seguinte.

Paulinho empurrou o portão aberto pelo porteiro e entrou. Entrou pensando na mulher do elevador. A mesma mulher que vinha ocupando o seu pensamento nos últimos dias, há duas ou três semanas. Ela talvez fosse a explicação do que ele contara aos amigos na comemoração. Não conseguia pensar e nem se interessar por outra mulher, por causa daquela personagem que ele encontrava, coincidentemente, apenas no elevador do prédio.

Ultimamente, tinha visto a mulher quase todos os dias quando chegava, quando saía. Não se atrevera a perguntar ao porteiro quem era ela. Em outros tempos, já teria feito isso ou já teria abordado a mulher no elevador. Sinal dos tempos ou sinal do tanto que ficara impressionado com ela. Nunca se interessara por uma mulher como pela mulher do elevador. Não que fosse uma beleza estonteante, arrebatadora. Mas era muito bonita, imponente, dona de si, o corpo de linhas bem marcadas, um rosto delicado e forte ao mesmo tempo. Os olhos pretos penetrantes dela cruzaram os seus apenas uma vez, o suficiente para entrar nele e ocupar um espaço imenso em seu pensamento. Havia uma certa delicadeza de bailarina no seu andar quando ela entrava no elevador e apertava o botão. Esperava em silêncio o pequeno trajeto do elevador subindo ou descendo e impunha naqueles brevíssimos segundos o seu silêncio a Paulinho. Ele nem respirava. Parecia obedecer a alguma ordem oculta vinda dela,

CONTOS ASSOMBROSOS

exigindo silêncio, exigindo concentração nos seus mínimos gestos, impondo uma admiração respeitosa. Nas várias vezes em que cruzara com ela no elevador, o respeito era tanto que em nenhum momento ousou dirigir-lhe a palavra, perguntar-lhe alguma pequena bobagem, fazer algum galanteio, deixar no ar algum comentário inútil. Nem mesmo quando conseguiu ver suas mãos e observar aliviado que não havia nenhum sinal de anel. Diante dela, no escasso perímetro quadrado do elevador, Paulinho não era o mesmo. Ele sabia, sentia isso, mas não conseguia explicar ou entender. E assim deixava a vida levar adiante os seus caprichos.

Naquele dia, voltando da comemoração, entrou no saguão do prédio, depois de passar pelo portão de entrada, e tomou o rumo do elevador. O porteiro chamou-o para entregar-lhe um maço de correspondências, que Paulinho apanhou, agradeceu e meteu no bolso do paletó. Apertou o sinalizador do elevador e esperou. Quando a gaiola chegou, ele abriu a porta e entrou. Por uns segundos, segurou a respiração, mas o coração descompassado batia mais acelerado, não respeitando um possível toque de silêncio que o esperava. Quando entrou e abriu de vez os olhos, lá estava ela, a mulher do elevador, impávida, feito uma deusa. Dessa vez, ela demorou o seu olhar nos olhos dele, mais tempo do que ele podia suportar. Pensou que explodiria quando a troca de olhar foi seguida por um sorriso iluminado. O sorriso dela brilhava. O elevador fechou automaticamente a porta externa e a interna e começou a subir. Paulinho não teve nenhuma noção de quantos andares a gaiola subia, se subia ou se descia. Apenas percebeu, por óbvio que foi, que depois de um baque e um estralo o elevador parou e as luzes se apagaram.

No mesmo instante em que tudo escureceu no pequeno cubículo de aço, um perfume suave e envolvente tomou conta do espaço e entrou pelas narinas de Paulinho. Impossível não respirá-lo, não senti-lo. No momento seguinte, um leve movimento no ar foi percebido por ele, como se um corpo se movesse no silêncio escuro. Primeiro foi uma mão delicada e suave acariciando o seu rosto. Depois a outra mão encostou um ou dois dedos nos seus lábios. Ao

NO ELEVADOR

mesmo tempo, um corpo feminino vigoroso, perfumado e macio encostou-se no seu corpo, as mãos saindo do rosto e envolvendo-o num abraço cativante, convidativo. E dois lábios carnudos procuraram os seus lábios em busca de um beijo provocante. Paulinho aceitou o convite e se envolveu, e se enrolou, e se deixou levar pela mulher do elevador. Não conseguiu se controlar, não conseguiu entender o que acontecia, não media a dimensão do que rolava entre eles, ligeiramente afogado e embebedado pelo perfume.

Aconteceu o que tinha que acontecer, do jeito que tinha que acontecer, no tempo que jamais seria possível medir, num prazer que jamais seria quantificado.

Quando a luz voltou e o elevador tomou rumo, Paulinho olhou para a mulher e o que viu quase fez o seu coração sair pela boca. Encostada em uma das paredes do elevador, uma mulher de baixa estatura olhava para ele, com um par de olhos apagados, opacos, um sorriso sem brilho e um rosto totalmente envelhecido, tomado por rugas, e rugas, e rugas. O elevador parou, ela saiu, arrastando o corpo velho, cansado, manquitolando.

Em casa, aturdido, tentando pôr em ordem o fato que acabara de viver, foi ao banheiro para jogar água no rosto. Fez isso na pia, diante do espelho. O mesmo espelho que projetou o sua imagem. Um rosto velho, opaco, tomado por rugas, e rugas, e rugas.

UM CERTO CASACO DE COURO

Marinho gostava de casacos e tinha para uso pessoal uma verdadeira coleção. Cores, talhes, formatos, espessuras e tipos de tecido compunham a galeria da diversidade do seu guarda-roupa. Sabia que uma calça jeans, vestimenta básica e múltipla, vestia bem para qualquer ocasião e que camisetas discretas compunham com o jeans a base para a ostentação do casaco. Ou seja: importava pouco o jeans e a camiseta, pois esses eram sempre apenas o suporte para o casaco.

Ele não sabia de onde viera essa mania – ou esse desvio de comportamento – e nem se preocupara em saber. Havia tempos que essa era quase sua única preocupação de gasto com o dinheiro, quase sempre curto, que recebia por seu trabalho de assistente no instituto municipal que cuidava das muitas necropsias feitas nos cadáveres que ali chegavam para perícias. Não ligava para outras coisas, não mais do que o necessário para viver. Mas... a atenção com os casacos... Ah! Isso era algo que praticamente dirigia sua vida.

Foi por essa razão que ele, habitual frequentador de brechós, se apaixonou por um casaco de couro exposto num brechó recém-aberto numa das ruas

UM CERTO CASACO DE COURO

próximas de sua casa. Quando viu o casaco exposto em um manequim, entrou imediatamente na loja e foi ver de perto a bela peça indumentária. De fato, era um casaco deslumbrante, de couro, de um tom acinzentado, com pequenas rugas causadas pelo tempo, a cintura ligeiramente marcada, dois bolsos grandes e sobrepostos na frente inferior, fechado por seis botões combinados com a cor do couro. Algumas partes da costura apareciam em relevo dando realce ao arremate da peça de roupa. Por dentro, um tecido suave e macio, seda talvez, de um azul pálido enfeitado por pequenas imagens de flores diversas. Marinho procurou pela etiqueta, mas não reconheceu nela nenhuma das grifes ou dos fabricantes que conhecia. Pouco importou. A beleza imponente do casaco arrebatou-o. Deu uma guinada com os olhos e encontrou uma moça, certamente vendedora do brechó e dirigiu-se a ela.

— Você pode me dar informações sobre aquele casaco? — perguntou, indicando com a mão o casaco de couro.

— Um minutinho... Sou nova aqui... Vou perguntar ao dono.

— O.k. Pergunte coisas como preço, data de fabricação, origem...

Ela sumiu por uns instantes e voltou rapidamente.

— Sinto muito, senhor... O dono disse que o casaco não está à venda. É de um cliente que trouxe para repor os botões e ainda não veio buscá-lo...

— Ahh!!! — resmungou decepcionado Marinho.

— Se o senhor quiser, temos várias outras peças interessantes... Só trabalhamos com artigos de primeira e pouquíssimo uso...

— Não... Não... Só me interessei pelo casaco... Obrigado.

Marinho saiu rapidamente do brechó, com um certo ar de desencanto, com um gosto levemente amargo na boca, não sem antes dar uma última olhada no casaco.

Nos dias seguintes, fez questão de passar em frente ao brechó e reparar na vitrine. Constatou que o casaco permanecia no mesmo lugar, no mesmo manequim, todos os dias. E não saía de sua cabeça. Coisa maluca de colecionador que não sossega, não descansa e não tira da cabeça sequer por um minuto a peça desejada.

CONTOS ASSOMBROSOS

Não satisfeito com a primeira resposta, voltou ao brechó. A moça que o atendeu era a mesma e foi logo sorrindo para ele, reconhecendo-o.

— Boa tarde... O senhor veio...

— Sim, garota... vim fazer uma oferta pelo casaco...

— Ah... Um instante. Vou falar com o dono.

E sumiu, entrando no cômodo dos fundos onde deveria ser uma oficina de costura e escritório simultaneamente. Voltou tão logo fora. Com a mesma resposta.

— Sinto muito...

— Posso falar com o proprietário?

— Sinto muito... Ele não atende ninguém e não nos deixa levar nenhum cliente até ele. Sou nova aqui... Não posso desobedecer às ordens do patrão...

— Está bem... Boa tarde.

Marinho saiu chateado, mas não irritado. Parecia ter certeza de que, mais dia, menos dia, botaria as mãos naquele casaco. Alguma coisa distante e profunda sussurrava isso em sua mente. Não sabia como nem por quê, mas tinha uma certeza quase definitiva de que ainda vestiria aquele casaco.

Ele voltou ao brechó algumas outras vezes, sem resultados. A vendedora, por fim, já nem sabia mais o que responder ou explicar, pois a postura do dono era inflexivelmente a mesma. Nas últimas vezes que lá esteve, pediu apenas para ficar olhando o casaco, admirando-o, já que não podia vesti-lo, tê-lo em sua coleção. Nem se demorava muito, gastava alguns minutos observando o casaco e saía da loja, muitas vezes sem nem reparar nem cumprimentar a vendedora. Na última vez que esteve lá, deixou com ela o seu cartão de visitas com a recomendação:

— Se ele mudar de opinião, aí tem o meu telefone...

E saiu, disposto a não mais voltar, não mais entrar no brechó. Chegara a seu limite, imaginava.

Uma semana, duas ou três semanas depois – enfeitiçado pelo desejo de ter o casaco, Marinho perdeu a noção do tempo –, em casa, ele recebe uma ligação. Uma voz feminina procurava por ele.

UM CERTO CASAÇO DE COURO

— Por favor, o sr. Marinho...

Era a vendedora do brechó.

— Sou eu...

— Senhor... o senhor ainda está interessado no casaco de couro...

Antes que ela terminasse sua interrogação, Marinho respondeu:

— Sim... Sim... Sempre estive... Por isso deixei meu cartão com vocês.

— Pois bem... o proprietário da loja disse que podemos negociá-lo com o senhor, se ainda estiver interessado...

— Claro... Sim... Claro... Estou... Estou... — resmungava palavras soltas sem muita conexão, mas com muita afirmação do seu interesse.

— O senhor pode passar aqui?

— A hora que vocês determinarem...

— Amanhã, no final da tarde. Pode ser?

— Estarei aí, sem falta.

Marinho não dormiu naquela noite e nem foi trabalhar no dia seguinte. Tinha mesmo um punhado de horas trabalhadas a mais e podia tirá-las naquela manhã-tarde de espera. Avisou o chefe e ficou à espera das horas idas e vindas. Mal o sol enfraqueceu, dando mostras que cederia lugar ao frio da tarde, Marinho aprontou-se e foi ao brechó. Chegou ofegante, esperançoso de fazer um bom negócio. Estranhou não ter visto o casaco de couro no manequim exposto na vitrine.

— Boa tarde, senhorita.

— Boa tarde, senhor Marinho.

— Vim para negociar o casaco de couro, senhorita, como conversamos pelo telefone...

— Sim... Eu sei. Já estava a sua espera. Aguarde um minuto, por favor.

Ela entrou na porta dos fundos onde ficava a oficina de consertos e o escritório do proprietário e voltou menos de um minuto depois. Trazia uma sacola na mão direita. Entregou a sacola para ele e disse:

— Aqui está o casaco, senhor...

— Mas... nem perguntei o preço...

CONTOS ASSOMBROSOS

— O proprietário disse que é para o senhor experimentá-lo, usando-o pelo menos uma noite. Se gostar, é para voltar e conversar sobre o preço.

— Mas... vocês nem me conhecem... e se eu...

— Eu, se fosse o senhor, aceitaria a oferta imediatamente. Não arriscaria me fazer voltar lá dentro para conversar com ele. Vai que ele se arrepende... — dizendo isso, abriu um sorriso e deu uma ligeiríssima piscadela.

— Está bem, senhorita...

— Salete.

— Está bem, senhorita Salete. Vou aceitar o seu conselho.

E tão ofegante quanto quando chegou, Marinho saiu do brechó. Foi rapidamente para casa e mais rapidamente ainda abriu o pacote que estava dentro da sacola, viu nele o belo casaco de couro. Pegou um dos seus muitos cabides e acomodou nele o casaco. Pendurou-o num cabide de pé que tinha no quarto e deitou-se na cama enquanto fixava os olhos no casaco. Por muito tempo, ficou de olho na peça de roupa. Naquele resto de dia, e nos dias seguintes. Chegava depressa do trabalho e se punha a admirar a peça de roupa. Imaginava-se vestido com aquele raro exemplar de inconfundível beleza. Esperava, sem saber por quê, o dia certo para vesti-lo. Mas esperava pacientemente. Até que o dia chegou.

Marinho preparou-se com cuidado, com esmero, com atenção, como se fosse aquele o dia maior de sua vida toda. Como se estivesse indo para uma festa única. Retirou o casaco do cabide e vestiu-o, como fizera tantas outras vezes com outros casacos adquiridos. Mas não foi igual às outras vezes. Ele não vestiu o casaco simplesmente. O casaco foi que tomou conta dele. Primeiro do corpo, como se fosse uma segunda pele, grudou no tórax e nos braços, como se ele e o casaco fossem uma coisa só. Embora fosse o mesmo Marinho de sempre, parecia agora que o casaco lhe dava ordens.

"Ande, vá até a estante, pegue o estojo, pegue a Joana..."

Depois de apanhar a Joana, Marinho perdeu a consciência e tudo o que lhe restou foi uma visão de espectador, como se estivesse fora do seu corpo assistindo a algum espetáculo. Só voltou a controlar-se e ter domínio de si

UM CERTO CASACO DE COURO

numa manhã, que descobriu ser a do terceiro dia desde que vestira o casaco de couro, uma segunda-feira. Ele estava visivelmente abatido, cansado, exaurido, pedindo cama, repouso, descanso. Entrou no quarto e se jogou na cama. Dormiu horas e horas. Somente acordou muito mais tarde, um dia depois talvez, a boca seca, muito seca, o peito apertado, a mão suja de um marrom escuro, o casaco de couro incólume no cabide. Tomou banho, recuperou um pouco sua energia com dois copos de suco, olhou o casaco no cabide e decidiu, para surpresa própria, que não queria mais o casaco de couro e que iria devolvê-lo imediatamente ao proprietário do brechó. Pagaria por ele, mesmo que tivesse que devolvê-lo.

Acomodou o casaco no mesmo embrulho em que viera e colocou-o na sacola. Voltou ao brechó. Foi atendido pela mesma simpática vendedora.

— E então, senhor Marinho, gostou do casaco?

Ele titubeou, mas respondeu:

— Na verdade, não, senhorita...

— Salete.

— Pois é, senhorita Salete... Não gostei. Vim devolvê-lo. E pagar pelo uso do casaco, ainda que pouco uso...

— Ah, que pena! O senhor parecia ter gostado tanto... Espere um minutinho que vou falar com o proprietário.

Ela sumiu na porta dos fundos e voltou menos de um minuto depois.

— O senhor Demétrio pede que o senhor entre.

— Não quero incomodá-lo. Só quero saber quanto devo pelo uso...

— Entre. O senhor Demétrio terá prazer em recebê-lo...

Dito isso, sem deixar alternativa senão segui-la, Marinho acompanhou a moça e entrou na sala dos fundos. Era uma oficina de reforma de roupas, cheia de instrumentos próprios para isso, muitos retalhos, carretéis, duas máquinas de costura e várias tesouras penduradas numa régua fixa na parede.

— Boa tarde, senhor — Marinho cumprimentou o senhor de cabelos grisalhos que estava sentado atrás de uma larga mesa de trabalho, entre papéis, pacotes, peças de roupas.

CONTOS ASSOMBROSOS

— Boa tarde, Marinho.

— Eu vim devolver o casaco. Gostei muito dele, mas decidi que não quero comprá-lo. Veja quanto devo ao senhor...

— Você não me deve mais nada, Marinho.

Enquanto trocava as poucas palavras com o proprietário do brechó, Marinho reparou insistentemente numa única fotografia que estava na parede: um homem abraçado com uma menina quase moça. Olhava e olhava, parecendo reconhecer os personagens da fotografia.

— Como assim? Afinal eu usei o casaco!

— Não me deve nada, Marinho. Já pagou e bem.

O proprietário do brechó ergueu os olhos em direção à fotografia.

— Está me reconhecendo na fotografia, Marinho. Eu e a Lucinha, minha filha única. Você se lembra dela, não se lembra!? Na Rua dos Retirantes, quase no final, perto da praça... Lembra-se? Você e os seus dois amigos... Como era mesmo o nome deles?

— ...

Marinho se lembrou... Lucinha... Aquela menina meio boba, bonita, muito bonita, desejada, mas meio boba... Ele, Marquinho e Jopa... Ela bêbada, muito bêbada, entrou em coma... Quase morreu... Depois nunca mais apareceu... Os pais se mudaram da Rua dos Retirantes... E a vida voltou ao que era antes.

— Lembra-se de quando eu disse que você me pagaria? Demorou um pouco, mas, enfim, vocês me pagaram. Você e seus amigos...

— ...

Na fotografia, o rosto bonito da menina Lúcia, filha única do Demétrio alfaiate, olhando sem piscar para ele. Marinho, mudo, assustado, foi se lembrando de algumas cenas depois de ter vestido o casaco de couro: a rua, o táxi, o endereço certo, um encontro, Joana – sua faca preferida, aço russo, fio cortante feito navalha –, um lenço azul, um novo endereço, novo encontro, Joana, um lenço vermelho.

Saiu da loja correndo feito louco, espumando de raiva e medo, os olhos esbugalhados. Em casa, foi direto ao estojo da Joana. E lá estava ela, ainda suja

UM CERTO CASAÇO DE COURO

de sangue, embrulhada em dois lenços, um azul com as iniciais MAP e outro vermelho com as iniciais JPA. Marco Aurélio Prudente e João Paulo Arruda, seus amigos da tragédia da Rua dos Retirantes.

Ao fundo, a voz tremida e vingativa do dono do brechó: "demorou um pouco, mas, enfim, vocês me pagaram..."

A MÁSCARA

Um leve sopro de vento frio acariciou o rosto do jovem animador chamado Zé Paulo.

E foi exatamente nesse instante que tudo fez sentido, que Zé Paulo entendeu o que tinha que fazer. Pôs a navalha no bolso da calça e pegou a caixa de madeira entalhada com a máscara dentro. Enquanto cumpria a distância que o separava de sua casa até a casa de Flora, Zé Paulo seguia alheio e superior ao cotidiano massacrante das pessoas. O trânsito, as faixas e placas, os ambulantes, os pedintes, o barulho metropolitano, o movimento dos passageiros na insuportável miséria do transporte coletivo... Nada disso fazia sentido para ele.

Quando chegou à frente da loja/casa dela, ele parou, como se estivesse num camarim se preparando para a cena final. E então entrou.

No brevíssimo instante em que atravessou a soleira da porta, como breve é a duração do perfume das flores que se abrem para a vida por poucos momentos e se vão para a morte, ele, tomado de emoção, com a certeza de que partia para outra vida, com a delicadeza de quem experimenta novos conhecimentos, apertava com exatidão o pequeno pacote com a máscara.

No caminho da porta à sala onde Flora o aguardava, Zé Paulo passou em *flashback* os últimos anos de sua existência, desde a partida da pequena cidade onde vivera, os primeiros tempos na cidade grande, o trabalho como anima-

A MÁSCARA

dor cultural. Lembrou-se da mãe no portão da casa grande, cheia de árvores, pequenos jardins e muitos vasos com plantas e flores, vendo-o através das grossas e embaçadas lentes dos óculos partir com uma pequena mala, rumo ao desconhecido da cidade grande. Carregou por pouco tempo o perfume do abraço da velha senhora e a dúvida se o aroma levemente azedo era do corpo dela ou de uma de sua centena de plantas. Do pai, não tinha lembrança alguma. Ausente quase sempre, também não se fez presente no dia da partida do filho, adepto da filosofia barata de que homem não chora nem se deixa envolver por emoções. Assim, sem mais nem menos, com poucas lembranças e raros amigos, Zé Paulo embarcou para uma vida nova, em busca de coisas que sabia que viriam, embora não soubesse quais. A única lembrança da cidade pequena era o gosto pela leitura, em particular pelas clássicas histórias de grandes amores, gosto adquirido graças ao esforço persistente e metódico da simpática funcionária pública que fazia as vezes de bibliotecária no prédio dos livros municipais. Na mala, roupas, outros objetos de uso pessoal e quatro ou cinco livros, presentes da esforçada bibliotecária.

Os primeiros tempos na cidade grande foram de novas aprendizagens. Como lidar com o dinheiro sempre curto, com raras amizades, com uma moradia quase indigente e com o progressivo desligamento das lembranças da cidade natal. Foi fazendo um pouco de tudo até empregar-se funcionário de um centro cultural. Aos poucos, na precariedade de seus rendimentos, Zé Paulo foi se acomodando até conseguir pagar sozinho o aluguel de um espaço próprio, onde guardava seus livros, pequenos objetos de decoração e máscaras, sua paixão dos últimos dois anos.

No centro cultural, de ajudante administrativo geral, Zé Paulo, graças a sua curiosidade constante e interesse por literatura, teatro e arte de modo geral, foi ganhando confiança e oportunidades dos seus chefes e adaptado a uma nova função, algo como um animador cultural. Dedicava-se ao máximo à nova função. Fazia cursos, lia, topava tudo que aparecia pela frente. Comparava-se a um cozinheiro desfolhando as camadas de uma cebola quando conseguia animar alguma coisa morna, escondida, perdida na memória de um grupo que passava por suas mãos. Temperava com pitadas de provocação, de viagens baratas pelas lembranças/emoções dos seus alunos. Tantas vezes viu brotar resultados saborosos a partir de ingredientes inicialmente insossos.

Foi num desses grupos de animação cultural, fazendo uma oficina para desfolhar cebolas, como dizia brincando, na abertura do evento, que ele conheceu Flora.

Flora mereceu dele, desde os primeiros instantes do relacionamento uma atenção especial, diferenciada. Pela calma, pelo brilho desassossegado dos olhos claros, pela fala mansa descansada, pela voz macia que desfilava ideias quase sempre sintonizadas com a emoção e o pensamento dele, essas coisas de mulher vivida, madura, serpenteando cinco décadas de vida. Numa das atividades propostas por Zé Paulo para o grupo, Flora fez reviver o que chamou de emoções inconclusas de amor não resolvido por meio de uma simulação do momento em que Heloísa fica sabendo da tragédia que abateu Abelardo, seu grande amor. Ele entrou de corpo e alma na *performance* de Flora. Abastecido por suas leituras prediletas das histórias de amor que fizeram a história da humanidade, ele derramou-se na breve busca interpretativa que Flora fizera de *flashes* da intensíssima relação de Abelardo e Heloísa.

— É uma de minhas preferidas! — referiu-se Flora à história de Abelardo e Heloísa. — Você a conhece?

— Um pouco. Li uma vez, uma adaptação... Faz tempo... Gostei muito, me lembro.

— Eu tenho uma bela versão, se você quiser emprestada...

— Quero...

Zé Paulo apressou-se em firmar os laços com Flora. Com ela, ele tinha sensações de que já se conheciam há muito tempo. "De outros tempos", como ela dizia brincando. Havia entre eles, a par de uma grande diferença de idade, uma afeição de família, laço mais forte do que circunstâncias de convivência ligeira. Flora, do lugar de suas cinco décadas e meia de vida, conduzia Zé Paulo com firmeza e doçura para um mundo que ele até então não havia experimentado.

A MÁSCARA

Logo que ficaram quase amigos, Flora convidou-o para conhecer sua casa, que era também sua pequena loja de bugigangas. Uma pequena casa térrea incrustada numa rua de médio movimento que vendia coisas estranhas, diferentes, que certamente pareceriam suspeitas aos olhos de um consumidor comum. Coisinhas artesanais, criadas com a arte de quem tece a própria vida criando objetos únicos. Era possível ver ali, mais do que objetos de decoração para corações e mentes desenquadrados, um painel dos pequenos desconcertos emocionais humanos.

Em meio a tantas bugigangas e estranhezas, o que mais chamou a atenção de Zé Paulo foi a coleção de máscaras que Flora tinha em um dos cômodos da sua abusada loja. Nenhuma estava à venda, eram todas de sua coleção particular, cada uma mais bonita – ou mais feia, dependendo do ponto de vista do apreciador – do que a outra. Os objetos abundavam em cores, formas, traçados e material. Zé Paulo passava horas contemplando as máscaras de Flora, apenas olhando silenciosamente para elas ou ouvindo da colecionadora histórias sobre cada uma, sua origem, composição e significados.

– Gosto de como você gosta das máscaras. Elas cumprem funções importantíssimas na vida dos homens. É uma pena que nem todos dão a elas a atenção merecida, tratando-as apenas como objetos de decoração.

– Às vezes, nem isso. Podem parecer repulsivas...

– Pois é... Mas o sentido inicial de qualquer máscara é uma nova interpretação da vida, um ritual que ajuda os homens a lidar com os fatos novos da vida de maneira mais aceitável.

– Esta, por exemplo. Fale um pouco dela.

– Essa máscara é de um ritual de catarse. Vesti-la, segundo me foi contado pelo antigo guardador, é permitir ao corpo e à mente desfazer-se de comportamentos inferiores. Se você pensar um pouco, pode até estabelecer uma relação com o Carnaval. As fantasias e as máscaras constituem um canal de passagem para pensamentos, emoções e gestos guardados que são liberados. Não é um calendário, a alegria ou o álcool que permite isso. É o ritual consagrado pelo uso da máscara.

CONTOS ASSOMBROSOS

Zé Paulo respirou fundo como se estivesse bebendo grandes quantidades de um líquido poderoso e precisasse tomar mais fôlego para outros goles.

– Veja esta outra. Veio acompanhada de um pergaminho que explica sua história e sua razão. Chama-se Persona. É feita de um tipo de tecido raríssimo, quase transparente, mas extremamente resistente. Sua função é regular o equilíbrio da relação que cada um de nós tem com os outros. Vestindo-a, você põe ordem na sua pessoa, na sua personalidade, e se fortalece.

O tempo voava quando Zé Paulo estava com Flora. Flora fazia com ele o que ele fazia com seus alunos: era desfolhado como uma cebola. As conversas entre ambos desfolhavam as camadas de Zé Paulo, como se Flora fosse a máscara Persona fortalecendo sua personalidade.

Numa dessas tardes, com a conversa estendida até a noite, navegaram pelas profundezas das grandes tragédias amorosas. De Romeu e Julieta a Perón e Evita. De Adão e Eva a Bonnie e Clyde, de Tristão e Isolda a John Lennon e Yoko Ono, passando pelos massacrados Lampião e Maria Bonita.

– São relações marcadas pela grandeza do amor ou pela trama da tragédia? O que faz com que nós não tiremos da lembrança esses casos de amor? O amor ou a tragédia? O amor ou o ódio que o circunda? – se perguntava Zé Paulo.

– E por que só nos lembramos dessas histórias?

– Grandes amores e tragédias também fazem parte do cotidiano de pessoas simples, escondidas na multidão da cotidianidade. E ninguém se lembra. Não fazem a história oficial, mas são grandes histórias da humanidade – rebatia Flora.

Foi nessa noite de conversa que se alongou pela madrugada que Zé Paulo ouviu pela primeira vez a história de uma máscara guardada mais isoladamente, distante das outras.

– Esta máscara, por exemplo, tem uma história interessante. Recebi-a de minha mãe, que a manteve guardada, sem que ninguém soubesse, por anos e anos. Disse-me tê-la ganhado de sua mãe, que ganhou de... E aí a história se perde. Interessante, não!? – Flora fez uma pausa, regida por gestos lentos e performáticos, parecendo medir o interesse de Zé Paulo.

37

A MÁSCARA

— Bem... O que diz a história da máscara?

— A máscara é feita de tecido humano.

Zé Paulo buscou com um movimento de olhos compreender a beleza e estranheza sedutora da máscara. Havia mesmo alguma coisa nela de grandioso, de trágico, de poderoso, que ele sentia na profundeza da alma. Talvez por isso, nunca havia se aproximado muito da máscara ou tocado nela. Aquela máscara, diferente das outras, impunha distanciamento.

— Tecido humano arrancado do próprio rosto de uma mulher e curtido no sangue dela e nas lágrimas do carrasco. É o que diz a sua história.

— Trágico...

— Trágico, e belo, e doloroso, e grandioso... e humano.

— Como você sabe disso?

— Passo-lhe a história como a ouvi de minha mãe — Flora fez nova pausa, como se estivesse buscando palavras para recompor na memória o relato. — Diz a história que a mulher, a dona do rosto que virou máscara, era apaixonada por um moço da cidade. Além de ser bem mais velha do que ele, o rapaz era pobre. E essas duas condições impediam a consumação do casamento entre ambos. Ela acabou se casando, forçada pelo pai, com outro, um homem rico, bem mais velho do que ela, pelo qual não tinha nenhuma afeição. Ela continuou, no entanto, apesar de casada com outro, a se encontrar com seu grande amor, de quem ficou grávida. O marido, quando ficou sabendo da história, prendeu-a em casa e ninguém nunca mais teve notícias dela. O amado, o homem de sua vida, seu amor impedido, sumiu. Tempos depois, uma máscara apareceu na sa-la da casa do velho homem, que morreu logo depois, enlouquecido. Quando foi encontrado, muitos dias adiante, ele segurava um pedaço de papel queimado onde ainda podia-se ler "há tempo para tudo na vida... tempo para amar, tempo para odiar... Eclesiastes...". E a máscara no chão, a seu lado.

Zé Paulo ouviu o relato de Flora, invejando o casal apaixonado. Ele nunca vivera um amor assim tão intenso, assim tão grande. Suas pequenas paixões não passavam de ardores momentâneos e não duravam mais que alguns beijos e uma ou outra relação mais ardente. Nada sobrevivia ao seu desinteresse. Por isso, Zé

CONTOS ASSOMBROSOS

Paulo desmanchou-se diante da máscara, no dia em que ouviu sua história e nas muitas outras vezes em que contemplava o retalho de tecido humano desenhado.

— Mas é uma história, apenas uma história! – disse-lhe Flora.

— E o que é a vida, Flora, senão uma história?

— Uma história... Nada mais que uma história... Histórias que se completam...

Zé Paulo e Flora trocaram muitas histórias. Ela historiando os objetos de que dispunha na loja. Para cada um havia uma história. Se fosse vender sua mercadoria pelo valor das narrativas, faria fortuna. Zé Paulo, para não ficar atrás, inventava histórias, não menos atraentes que as dela, quase sempre histórias de amor, trágicas histórias de amor. As histórias os aproximavam de forma irreversível. Não fosse a diferença de idade entre ambos, poder-se-ia imaginar que uma história de amor entre eles estaria por acontecer.

— Hoje encontrei o livro de Abelardo e Heloísa. Aquele de que falamos e eu fiquei de emprestá-lo a você. Leve-o para ler. Poucas narrativas se comparam à tragédia desses dois amantes.

Zé Paulo começou a ler o livro naquela noite mesmo. Devorava. Sentia cada palavra como sua, como seu cada gesto e cada emoção que Abelardo dirigia a Heloísa. Avançou noite adentro, história afora. Lá pelas páginas tantas, viveu a agonia de Abelardo, prestes a ser castrado, sem saber do futuro. Foi nessa página do livro que Zé Paulo encontrou esquecida uma velha fotografia. Não tinha data, mas era, certamente, muito velha. Na foto, três jovens, alegres, abraçados em frente a um muro erguido com troncos de madeira escura. O rapaz, no centro da foto, abraçava duas moças, uma de cada lado, ambas sorridentes. Três coisas chamaram sua atenção na fotografia, alterando momentaneamente o ritmo de sua respiração: o rosto de uma das moças abraçadas pelo rapaz era extremamente parecido com o de Flora. Seria ela quando jovem, chegou a pensar, mas a foto era muito antiga. A outra coisa que chamou sua atenção foi o rosto do rapaz, que estava rasurado na foto, como se alguém com uma lâmina tivesse raspado a tinta, impedindo a identificação, apagando a lembrança da foto. A terceira e última coisa que chamou sua atenção foi o anel em

A MÁSCARA

um dos dedos da mão do rapaz que pendia do ombro da moça do lado direito. Ainda que ligeiramente apagado pelo tempo, ele não teve dúvidas que o anel era igualzinho àquele que um dia ganhara de Flora.

Zé Paulo gastou o resto da noite imaginando hipóteses para seu futuro, revelações do seu destino. Em todas elas, Flora fazia presença. Mas nenhuma cena final parecia combinar. Por isso, eram apenas conjecturas.

E continuava a vida. Durante o dia, animando outras vidas com o vazio da sua. À tardinha e à noite uma imensidão de vidas se entrecruzava nas histórias que trocava com Flora. Numa dessas noites, conversaram sobre amores interrompidos.

— De um jeito ou de outro, essas almas se encontrarão e completarão seu ciclo de amor.

Assim Flora encerrou aquela noite de conversa, cravando com serenidade seus olhos claros no fundo da alma dele. Naquela noite, Zé Paulo ganhou de Flora uma antiga navalha, de cabo de madrepérola, ornamentado com pequenos detalhes incrustados. Um belíssimo objeto.

Cada conversa, cada história e objeto recebido exercitavam seus prazeres e suas emoções e o levavam a conjecturar hipóteses para seu destino. Histórias, fotografia, navalha, tudo parecia amarrado por um fio invisível, que ele ainda mal conseguia vislumbrar. Mas sentia que estava irremediavelmente ligado ao destino de Flora. E, quanto mais se prendia a ela, mais sua vida se esvaziava. Um movimento contraditório: o sentido que buscava na intimidade da convivência com Flora, perdia-o no vazio do seu cotidiano.

Zé Paulo pressentia, no entanto, que estava perto do arranjo final, do último ato. Quem mexia nos papéis de sua história estava dando-lhe cores finais. Essa sensação ficou bem mais próxima quando conversaram sobre a história de Tristão e Isolda. Destino traçado pelas mãos hábeis da tia de Isolda e pela poção mágica bebida inadvertidamente por Tristão.

— Há acontecimentos na vida das pessoas que são traçados por outros. Tristão nunca poderia imaginar que se apaixonaria por Isolda. Foi a poção mágica. O veneno. Um combustível que cada um tem dentro de si e que só precisa

CONTOS ASSOMBROSOS

de outro componente para gerar a combustão. E aí surge outra pessoa – Flora falava e acariciava as mãos dele.

Zé Paulo, envolvido entre histórias, emoções e estranhezas, quis abraçar Flora sem saber ao certo o que fazer com o sentimento que tinha por ela, mas foi rechaçado.

— Ainda não, Zé Paulo. Falta o terceiro elemento.

— O quê, Flora?

— Você já tem o anel e a navalha. Falta o veneno.

— Que veneno?

— O combustível... A máscara, Zé Paulo.

— A máscara!?

— É. A máscara completará o que falta para nós dois. O anel é a identidade, a navalha é a força e a máscara é a vida.

Flora pegou a máscara e colocou-a em uma pequena caixa de madeira entalhada e deu-lhe o pacote.

— Você sabe o que fazer. Quando for feito, nós nos encontraremos novamente. Você saberá a hora de fazer.

Em casa, Zé Paulo cambaleava bêbado pelo torpor das múltiplas sensações que tomavam conta dele. Derrubando objetos, tropeçando em outros, juntou o anel, a navalha e a máscara. Sabia que tinha que fazer alguma coisa, mas ainda faltava o sentido final, o amálgama. Pôs o anel num dos dedos e a joia encaixou-se com perfeição. Pegou a navalha. O cabo acomodou-se com exatidão na palma da mão direita apertada entre os dedos. A máscara... Faltava ainda alguma coisa. A fotografia antiga. Buscou-a entre as páginas do livro. Estranho... A foto parecia ter sido retocada. Estava diferente desde a primeira vez que a vira. Todos os rostos das três pessoas estavam refeitos, perfeitos, exatos: um rosto muito parecido com o de Flora, um outro rosto delicado, com a aparência suave da máscara, e o terceiro rosto, do rapaz abraçado às moças... era o seu... o seu próprio rosto. Foi nesse momento que as coisas se encaixaram e tomaram o sentido que ele tanto buscara.

A MÁSCARA

Quando arrombaram a porta da pequena casa térrea, abandonada há muito tempo, ninguém entendeu o que viu. Além de dois corpos, apodrecidos e decompostos pelo tempo, ao lado deles, um anel e uma navalha, objetos antigos, mas ainda conservados. Mais atrás dos dois corpos, uma fotografia também antiga, suja por completo, marcava uma página de um exemplar de um livro velho carcomido pelo tempo e por insetos e roedores.

ESCRITURAS

A primeira vez que Daniel viu as escrituras, sentiu que o coração ia sair pela boca. Havia dois dias que ele estava em casa, de cama, com uma febre alta bastante insistente. Nem a folga forçada da escola, a presença dos amigos e a atenção delicada e suave da sua tia conseguiam tirar o ardor e a sensação incômoda de quentura que se esparramava pelo corpo. Não queria conversar com ninguém, não queria ver ninguém. Por isso, fingia, algumas vezes, um sono que não tinha. A comodidade aconchegante de seu quarto, com suas coisas, roupas e materiais próximos e preferidos, era o único refresco naqueles momentos de calor forçado. No final da tarde do segundo dia de torpor, depois que todo mundo saiu do quarto e ele ficou sozinho, começou a sentir, além do calor no corpo, pequenos choques, como se fossem descargas elétricas, na altura da coxa direita. Ele deslizou a mão pela perna, tateando e tentando entender o que acontecia, sem encontrar qualquer caminho ou pista. O insistente calor e as pequenas descargas continuavam. Daniel sentou-se na cama, ergueu a perna da bermuda larga e viu...

O que ele viu quase pôs o coração da boca para fora. A sua coxa direita servia de base, como uma página de caderno, para letras que se amontoavam, se encaixavam e formavam pequenas frases de cor cinza na pele. Impossível entender, impossível imaginar que aquilo fosse uma coisa normal, impossível aceitar. Mas, aos poucos, Daniel foi aceitando aquela manifestação estranha e

ESCRITURAS

tentou ler as palavras que ali apareciam e desapareciam com rapidez. As palavras iam e vinham, sumiam, voltavam, desconexas. Vez ou outra, formavam uma frase. A frase formada ia se acomodando e se fixando. Ele embarcou no estresse daquela loucura e começou a ler as palavras, as frases. Até que o movimento começou a perder o calor e a intensidade da cor cinza. E, antes que sumissem de vez, Daniel conseguiu ler: "Não deve ir... Aline não pode sair com os outros... Há perigo... A perda de sentido e rumo..."

Assim que as palavras sumiram, sumiram junto o calor da febre e o ardor da coxa direita. Daniel voltou a sentir-se bem, como antes e sempre, não sentia mais nada, estava pronto de novo. Voltou ao cotidiano. E, no seu cotidiano, ficou sabendo da excursão de algumas turmas à mata atlântica que circundava parte da serra regional, a cerca de cem quilômetros da cidade onde morava. Teve vontade de falar com a Aline, sua amiga, mas achou que todos fariam chacota dele. E, por isso, calou-se. E guardou para si o desespero de saber que ela e mais três amigas se desgarraram do grupo com o guia e se perderam na mata durante três dias. Foram encontradas exaustas, descontroladas, quase à beira do descontrole total.

Depois do episódio da excursão, passou-se algum tempo até que Daniel, de novo, sem mais nem menos, caiu de febre. Os mesmos sintomas, sem nenhuma causa aparente. E, na tarde do segundo dia, novamente o ardor febril e os pequenos choques intermitentes na pele; dessa vez, mais fortes na palma da mão esquerda. Os choques, as pequenas descargas elétricas, mostravam um ir e vir de palavras vermelhas na palma da mão dele. Como da vez anterior, a intensidade foi perdendo força e as letras enfraquecendo. Antes de sumirem, Daniel conseguiu conectar algumas delas e entender mais ou menos o seguinte: "Leninha... Não se aproxime dela... Não gosta de você... É falsa..."

Leninha era a namorada de Daniel. Foi namorada, pois naquele mesmo dia ele recebeu a notícia de que ela estava saindo com outro cara, conhecido da escola. Daniel preocupou-se mais com o fato das escrituras voltarem a aparecer do que com a perda da namorada.

De outra feita, os mesmos sintomas, a febre, os choques elétricos e as palavras indo e vindo. No braço direito, onde a pele era mais fina e alva, a mensagem: "A professora de Educação Física... Braço quebrado..." Então, ele correu para a escola, mesmo não sendo seu horário de aula, decidido a pedir para a professora tomar cuidado. Um pouco tarde, pois, quando chegou à escola e perguntou pela professora, foi informado que ela havia sido levada ao hospital.

— Ela caiu e parece que quebrou o braço.

Daniel começou a sentir que precisava dividir com outra pessoa o seu problema. "Mas com quem?", atormentava-se. Quem poderia entender, acreditar no que acontecia com ele e ajudá-lo?

Tentou uma vez conversar com seu amigo Pedro Paulo. Não foi direto ao assuntou, inventou que ouvira uma história de um cara que recebia mensagens... Pedro Paulo riu, um risinho de escárnio e cortou qualquer possibilidade de continuação da conversa:

— E você acreditou, Daniel? Que maluquice, cara!

Tentou outro caminho. Pediu para sua tia, com quem morava, marcar uma consulta com um médico dermatologista.

O médico examinou-o e conversou um bom tempo com ele. Daniel falou de forma indireta. Disse que, às vezes, sentia febre e pequenos choques, que ficavam mais intensos em alguma parte específica do corpo onde apareciam manchas escuras...

— Aparentemente, você não tem nada. Pelo menos, nada que possa levantar uma suspeita. Seria interessante que você viesse me procurar quando tivesse uma crise dessas... Assim daria pra examinar melhor e ter uma ideia do problema...

— É que tudo acontece muito rapidamente... Mal tenho tempo de ler...

— Ler? Ler o quê?

— Nada... Eu me atrapalhei ao falar. Quis dizer que mal tenho tempo de perceber as manchas e elas desaparecem...

ESCRITURAS

— Bem... Vamos fazer alguns exames de praxe e ver se há algo errado com seu corpo...

Daniel saiu do consultório como entrara: sem se abrir, sem falar do seu problema. Se é que tinha realmente um problema. E guardou para si numa fechada caixa de segredos sua história de aparecimentos das escrituras. Elas continuaram aparecendo, sem aviso prévio e sem razão aparente, vinham e iam com rapidez. Aos poucos, o ardor que precedia o aparecimento das palavras e frases foi diminuindo de intensidade, chegando quase a desaparecer. Permaneciam apenas os pequenos choques elétricos, como uma verdadeira comissão de frente, anunciando a chegada de outras mais palavras e frases. Algumas vezes eram ininteligíveis. Pelo menos para ele, que não entendia o significado daqueles amontoados de palavras e frases. Outras vezes, vinham articuladas, embora soltas e aleatórias, e Daniel entendia a mensagem codificada. Quando era possível, tentava intervir na realidade anunciada pelas mensagens, sem se expor. Quando não dava, apenas esperava o fato acontecer para conferir em seguida.

Foi assim durante um bom tempo, embora o tempo tivesse tomado outra característica em sua vida, tornando-se mais flexível, mais rápido ou mais lento, como queria sua vontade. Sofria com as escrituras, mas deleitava-se com essa habilidade, adquirida à época em que começou a sentir a febre que precedia as escrituras. Quando queria fazia o tempo se apressar e quando também queria fazia o tempo arrastar-se. Convivia, portanto, como a maioria das pessoas convive com seus problemas crônicos: ajustava-se às condições impostas pela natureza.

Assim foi, até a última febre, anterior às últimas escrituras.

A febre veio forte, muito forte, tão intensa que derrubou Daniel na cama. Nem o carinho dos amigos, nem as simpatias, os chás e promessas da tia conseguiram levantá-lo. Sequer animá-lo. Esperava o aparecimento das escrituras, sabendo, sem ter noção da razão, que seria a última vez que seu corpo passaria por aquele fato. Esperou até o quarto dia de muita febre que as palavras e frases aparecessem. Apareceram e ocuparam sua testa. Daniel

CONTOS ASSOMBROSOS

sentia o ardor e os pequenos choques passeando na testa. Claro, não conseguia ler o que ali estava escrito e viu-se obrigado pela primeira vez a levantar-se da cama e procurar um espelho. O mais próximo estava no banheiro, acima da pia. Ele acendeu a luz e mirou sua testa no espelho. As palavras iam e vinham muito rapidamente, num vermelho forte escuro. Conseguia ler uma ou outra palavra, mas nenhuma frase. Tentava estabelecer algum vínculo entre elas, mas não conseguia. Apelou para sua habilidade de retardar o tempo e só então começou a ler alguma coisa. Ainda sem nexo, mais lentas, as palavras iam e vinham. Algumas em tamanho maior, como se destacadas, num vermelho extremamente forte. Daniel foi lendo: "Haverá um dia... Rápido... Sem tempo... INTERESSE seu... PERIGO... VÁ... A vida não é... Ninguém... VÁ... A tampa... Não fechar... A tampa... Siga o instinto...", e foi conectando... "Sua vida corre perigo... Vá, corra, siga o instinto..." Bingo! Entendera: era a sua vida que estava em perigo! Ele tinha que agir rapidamente e seguir o seu instinto.

Daniel fechou os olhos, esquecido da febre e das escrituras, e saiu correndo pela noite afora. Uma brisa suave fazia carinho no seu rosto. Seguiu rapidamente, num tempo acelerado, e foi para onde seu instinto e sua percepção o encaminhavam. Chegou a um lugar que conhecia muito vagamente, não se lembrava bem, pois estivera ali uma única vez, por uma razão não muito agradável. O lugar era levemente iluminado e estava com muitas pessoas que se aglomeravam em pequenos grupos, quase todas de pé. Ele passou por elas e foi até uma das salas. Nessa sala, todos que lá estavam eram conhecidos seus ou de sua tia: vizinhos, amigos da escola, professores... Muitas estavam sentadas e outras de pé, perto de um caixão de defunto. Velas acesas queimavam cheiros inconfundíveis misturados a flores já não muito viçosas. Uma coroa de flores na cabeceira do caixão, com as palavras "Saudades dos amigos de Daniel". Daniel não entendeu. Ou entendeu e não aceitou. Ou não quis acreditar no que via. Tentava conversar com uma das pessoas, mas ninguém ali parecia vê-lo, ouvi-lo ou senti-lo. Apenas choravam por ele. Seus gestos se perdiam no próprio silêncio. Nem mesmo quando um desconhecido aproximou-se de sua

ESCRITURAS

tia e disse-lhe algo em voz baixa. A tia enxugou as lágrimas já secas e com a ajuda de um professor e do homem pegaram a tampa do caixão e começaram a fechá-lo definitivamente.

Daniel voltou para casa, na noite, agora muito mais escura e fria, e deitou-se na cama. O escuro e o frio eram totais e assim ele dormiu sem febre, sem escrituras e sem tempo.

ALMAS INCENDIADAS

O episódio central desta história deu-se num domingo bonito, desses tantos que acontecem nos pequenos municípios brasileiros. Talvez por ser pequena a cidade, seus moradores têm tempo e olhos para admirar domingos bonitos. Esse ao qual me refiro em particular, além dessa beleza costumeira, da mistura de sol de inverno, certamente o mais bonito de todos os sóis, com o calor desejado e a fartura na alegria interiorana, era o domingo em que a seleção brasileira de futebol entrou em campo para disputar a partida final da copa do mundo de 1958. O time maravilhoso, que jogava com uma alma feliz na ponta das chuteiras, prendeu a todos na tocaia do rádio, em emissoras de ondas longas que mandavam sons cortados repletos de emoção.

Não foi, no entanto, a vitória esmagadora da seleção brasileira sobre a distante e quase desconhecida seleção sueca que me faz arriscar esta narrativa. A conversa é outra. Bem diferente.

Após o jogo, mais no final da tarde, os moradores do próspero município chamado Mirassol, encravado no calorento norte do estado paulista, trocavam impressões e alegrias pela vitória brasileira, quando a noite já se anunciava e começava a esconder o brilho dos olhos dos cidadãos, foi aí que duas ou três ou cinco pessoas desceram correndo a rua central da cidade gritando arregaladamente:

ALMAS INCENDIADAS

— Incêndio na Máquina de Café do Nico!

Aos poucos, a cidade foi acordando da vitória estabelecida da seleção brasileira e entrando numa agonia desesperadora. As falas, os gritos, as súplicas, os lamentos se alternavam, sem sentido e sem força para interromper o que acontecia.

— Como?

— É... A Máquina de Café do Nico virou um fogaréu só!

— Fogo?

— Fogo, dos grandes... Coisa de louco.

— Fogo maior do que tudo que já se viu por aqui.

Em pouquíssimo tempo, metade da cidade estava perto da quadra em que ficava o imponente prédio da Máquina Café Predileto, de propriedade do Domenico Jacomeli. E assistiu, assustada, diante da força do fogo, à destruição quase total do escritório, do maquinário e do galpão onde ficavam estocados, à espera de um bom preço, as sacas de café limpo dos inúmeros pequenos sitiantes da região. O cheiro forte do café queimado e a fumaça escura saíam em labaredas nervosas pelas inúmeras janelas do prédio, estourando o vidro, entortando a ferragem. O calor era insuportável e mais insuportável ainda era a fisionomia das pessoas boquiabertas diante da sua fragilidade e incapacidade de reação. Os poucos que se aventuraram com baldes e galões de água, na tentativa ridícula de competir com a língua destruidora do fogo, sentiam a tragédia em todos os poros. Duas ou três horas depois de consumir quase tudo, o fogo acalmou por si próprio, não sem antes causar a queda de todo o telhado, em razão da queima da madeira de sustentação. O baque do telhado, coadjuvado por um som surdo da queda e restos de fumaça levantados ao ar, pôs fim ao incêndio. E abriu caminho pra outras emoções, histórias, mistérios e especulações.

A primeira história – e talvez a mais acertada, se isso fosse possível – que circulou, inclusive como manchete na edição seguinte do jornal *A Commarca*, deu o episódio como criminoso: "Incêndio criminoso destrói máquina e produção cafeeira da região". O que se escreveu na matéria jornalística, sem au-

CONTOS ASSOMBROSOS

toria, foi sobre os números técnicos do sinistro: quantos sacos do produto, sua origem e qualidade, o nome dos maiores prejudicados, o prejuízo e as dívidas na agência local do Banco do Brasil. Uma suspeita pairou no ar sobre a cabeça de cada produtor: quanto maior era sua dívida junto ao banco, maior era sua chance de ter sido o autor do incêndio, visto que o seguro cobriria, com preço bom, todo o prejuízo e uma cláusula contratual previa amortização da dívida em caso de tragédia. No entanto, soube-se depois, na hora do acerto, que os agentes da seguradora e os agiotas do banco impuseram uma triste derrota aos sitiantes e pequenos fazendeiros, muitos dos quais venderam sua propriedade para saldar a dívida ou entregaram-na como forma de quitar a serena e insaciável fome do banco.

Alguns dias adiante, em que a população ainda ruminava a tragédia e gastava horas na frente do que restara do prédio e da fortuna do Nico Jacomeli, circularam novas versões, com outros nomes e especulações sobre criminosos. Um deles, Gió Jacomeli, irmão mais novo e ex-sócio de Nico. Parte antiga da história, ocorrida nuns pares de anos do fim da década de 1940, era conhecida por todos.

Nico e Gió foram sócios durante muito tempo. Trabalharam duro, muito duro, de sol a sol, de madrugada ao início de cada santa noite, muitos anos a fio. Começaram com um pequeno prédio, onde pintaram com letras toscas o nome da empresa: Máquina de Café Dois Irmãos. O negócio cresceu sem parar, sob o pulso firme de Nico e os olhos românticos de Gió, que nunca desprezou um copo no balcão dos botecos nem a companhia de mulheres, quaisquer mulheres. No caminho de ambos, nada os detinha e de seus segredos pouco se sabia. Por mais desavenças que houvesse entre eles, essas coisas nunca foram dadas ao mundo saber, guardadas no cofre das impurezas familiares e no imaginário da sabedoria popular. Entre copos, porres, prazeres roubados e cometidos, promessas e desarranjos, esse jeito de viver do Gió jogou uma pá de cal na relação de confiança entre eles. Antes unidos para sempre, brigaram e separaram a sociedade.

ALMAS INCENDIADAS

Na esteira de concretizar o seu poderio, Nico Jacomeli, já poderoso homem de negócios, seguiu adiante pavimentando seu império. E não sossegou enquanto não pôs fim à trajetória de Dagoberto Costa, visto que o esperto sitiante criticava abertamente a ganância dos Jacomeli e buscava parceiros para uma empreitada que ele chamava de cooperativa. Pequenos produtores se unindo para resolver os problemas e ficarem longe do armazém de Nico – era o argumento do sitiante. Nico não perdoou a insolência do sitiante português e, em pouco mais de três anos, conseguiu dinamitar as suas parcas reservas econômicas. Sem dinheiro e sem saída, Dagoberto deixou-se afogar no açude da propriedade da qual era meeiro.

Pouco restou dessas duas histórias na lembrança do povo, a não ser as promessas de vingança: a do irmão Gió, nos olhos vidrados e de pouco alcance fora do vidro dos copos, e a de dona Belinha, mãe do sitiante português, enlouquecida pela perda do filho único. Ela jurou vingá-lo, demorasse o tempo que fosse preciso e mesmo que, para isso, tivesse que voltar do mundo dos mortos. A rigor ninguém levou a sério as ameaças. Gió afundou-se no prazer dos copos e sumiu da cidade. Dona Belinha afundou-se no mundo das dores vivas e morreu de desgosto, triste e solitária. O tempo encarregou-se de esquecer as duas ameaças. Até o incêndio. O incêndio trouxe de volta especulações. Mas... onde andaria Gió e o que poderia fazer dona Belinha, morta e enterrada, distante do mundo dos vivos? Ninguém sabia.

———

Outra história, essa a mais escorregadia e invisível de todas, corria de boca em boca, sob as cinzas do incêndio, longe das laudas do jornal e das investigações da polícia. Era história que morava apenas no imaginário popular.

Uns quatro ou cinco meses antes do incêndio, o jovem Ari, filho mais velho de Nico Jacomeli, inventara de se apaixonar por Izabel, uma professora, segundo ele, um doce de mulher. Ari era o filho sonhado, sempre perto do pai, dedicado no trabalho, quase pronto para assumir o comando da Máquina Café Predileto, propriedade sólida do pai. Planejavam entrar no comércio de torrefação e moagem de café, com marca própria, sob a direção do jovem Ari.

CONTOS ASSOMBROSOS

Nico tinha um carinho especial pelo filho e esperava apenas que ele se apaixonasse e se casasse – pois os ares de homem casado fazem bem aos negócios –, para que ele fosse assumindo o pequeno império da família Jacomeli. No entanto, Ari era pouco dado aos amores. Quase distante. A ligeira preocupação do pai começou a se dissipar quando o filho lhe falou de Izabel, a professora. Falava dela com sabor nas palavras e jeito de gosto bem gostado no coração. O pai andava entusiasmado e se preparava para conhecer a moça que conseguira tirar o filho da pasmaceira emocional que habita a vida de um homem sem o amor de uma mulher.

— Quero conhecê-la, Ari.

— Espere, pai. Ainda não chegou a hora.

— Mas o que nos impede de conhecê-la?

— Nada. Ela diz que é cedo. Que na hora certa o senhor irá conhecê-la.

Assim o tempo e o amor de Ari por Izabel avançavam. Não era estranho ele chegar em casa mais tarde do que de costume, ficando algum tempo no início da noite no escritório da máquina conversando com a professora. Quando chegava em casa, um sopro de vida nova vinha com ele, trazido dos encontros e da prosa com a professora, para a satisfação de todos. A única coisa que diferenciava esse amor particular de outros amores públicos é que Ari, recatado, preferia o escritório, as instalações da máquina, a sacaria e o armazém para transitar sua paixão com Izabel. E, nesse espaço guardado, sabe-se lá o que os dois jovens diziam um ao outro, prometiam e faziam. Eram protegidos pela felicidade. De Izabel, a família Jacomeli sabia apenas o que o filho falava e conhecia seu rosto por uma fotografia desbotada, gasta pelo tempo, coisa de muitos anos, mas que ele dizia ser recente.

Atrás do papel, estava escrito "Belinha", que ela dizia ser o apelido familiar.

Assim foi, dia após dia, até o fatídico domingo do incêndio. Ninguém se lembrou disso na hora, mas descobriram depois que o corpo carbonizado entre cinzas, madeira queimada e café torrado era de Ari.

Qualquer coisa que se diga aqui sobre o sofrimento dos seus pais é infinitamente pequena.

ALMAS INCENDIADAS

O que se possa pensar sobre o acontecido na cabeça, no corpo e na história de Ari é mera suposição.

Alguns disseram que era mentira o que aconteceu depois do seu enterro. Outros juraram para sempre que era verdade. Muitos preferiram guardar a dúvida como depoimento da história. E estes, sem negar ou afirmar com convicção, contaram que, dois dias depois do enterro de Ari, foi encontrado sobre o seu túmulo o paletó de lã xadrez que ele usava no domingo do incêndio. Intacto, perfeito e dobrado com esmero. No bolso do paletó uma fotografia de uma mulher bonita com um menino no colo. "Belinha e o filho Dagoberto, maio de 1926". Mais abaixo, na mesma caligrafia, mais carregada na tinta, a frase: "Aprenda Nico Jacomeli: aqui se faz, aqui se paga." Nem a polícia, nem os agentes do banco e nem os sitiantes arruinados levaram isso em conta. O coração do povo, sim.

Ainda agora, início da década de 1970, os moradores mais velhos não conseguem explicar o que aconteceu no incêndio da Máquina Café Predileto. Talvez por isso, busquem explicações até hoje e a memória do ocorrido continue exposta nos escombros do prédio incendiado.

A história não está esquecida e nem explicada. Ainda.

ELES

Há muito tempo eu gostaria de ter contado esta história. Há muito tempo mesmo. Mas nunca antes eu encontrei ânimo, vontade, força e desejo necessários para empreender esta jornada de palavras. Talvez porque tenha passado décadas inteiras da minha vida trabalhando em meio às palavras, com elas, retirando delas o meu parco sustento.

Também nunca me envolvera antes com outra mulher, depois de Dora, paixão desmedida que me levou ao mundo deles, que me fez um deles, por quase cem anos, vivendo no mundo sombrio, igual, calmo e duradouro. Dora se foi e me deixou o legado da maldição, que carreguei até bem pouco tempo atrás. Hoje sou Elaine, moro numa bela cobertura, bem em frente ao mar, tenho outra irmã, meus pais são profissionais liberais bem sucedidos e tenho para meu prazer e consumo tudo o que quero, muito além do que só preciso.

Quem sabe escrevendo minha história, ou melhor, parte dela, a parte de que me lembro, possa me abstrair disso. E retornar essa outra vida comum que me foi permitida e que começo a viver. Agora vivendo como Elaine.

———

Já fui outra pessoa, um dia, acho que há 98 anos...

Meu nome era Elias. Eu era um rapaz normal, como todos da minha geração, da minha turma. Tínhamos os mesmos sonhos, os mesmos desejos, a mes-

ELES

ma promessa de vida interessante pela frente. Aos 18 anos, talvez 19, começava a me preparar para suceder o meu pai nos negócios da família, uma loja que importava vários produtos alimentícios, situada nas franjas do porto, com uma freguesia tanto variada quanto renovável. Nesse tempo, eu já dava plantão no balcão da loja e isso era algo de que eu gostava muito, pois tinha a oportunidade de conhecer diariamente novas pessoas, que transitavam entre as curiosidades dos produtos importados. Estava por terminar o curso médio de contabilidade, algo que já fazia parte dos planos de meu pai, me preparando para mais cedo ou mais tarde assumir o comando dos negócios da família.

Pouco ou quase nada disso tem muito a ver com o que aconteceu a seguir, a não ser pelo fato de que aconteceu porque eu sempre estava no balcão da loja. Foi por estar ali que conheci Dora. A princípio, eu a atendi como atendia qualquer novo freguês. Depois, como sua presença começou a ficar frequente, sempre no final da tarde, quando o sol caminhava para o poente e uma breve garoa acompanhava a chegada da noite, a conversa avançou para além dos produtos da loja. Tantas vezes conversávamos até quase as sete da noite, horário de fechamento da loja e do comércio da região. Não raro, após fechar a pesada porta de madeira entalhada, ainda trocávamos algumas palavras, antes dela entrar no carro escuro, cuja marca não me lembro, que ficava à espera dela a alguns metros da loja.

As conversas evoluíram para passeios pelo porto, antes do pôr do sol. Depois, a convite dela, passeávamos um pouco no confortável automóvel colocado à sua disposição, dirigido por um chofer calado, de corte de cabelo quase raspado e com estranhas cicatrizes no rosto. Parecia estar mais atento às nossas conversas e eventuais gestos de aproximação do que ao volante.

Um dia, resolvi falar-lhe dos meus sentimentos, que, àquela altura, já andavam fincados no meu coração. Pedi para falar com seus pais, pois queria assumir um compromisso sério com ela. Tive a impressão de que Dora não entendia direito o que eu falava.

— Pensei que poderia falar com seus pais, Dora.

— Falar com meus pais? Falar o quê?

— Sobre nós...

— Sobre nós? O quê? Tem alguma coisa incomodando você?

Recuei. Depois voltei a expor minha intenção. Desta feita, ela foi mais receptiva. Demonstrou interesse.

— Assim que for possível, eu falo com meus pais e eles receberão você em casa.

— Ah! Eu ficaria encantado em poder falar com eles da filha maravilhosa que têm... do meu sério interesse por ela... por você, claro.

Dora riu um sorriso terno, mas não muito entusiasmado. Uma concordância triste, me pareceu.

O tempo andava depressa quando ela estava por perto, mas se arrastava pesadamente nas outras horas do dia. Eu me continha, mas ardia de desejo por Dora. Sonhava tê-la como minha amada declarada, numa relação permitida por seus pais. Enquanto esse dia não chegava, eu me contentava em sonhar com ela, dormindo ou acordado. Assim, até o dia em que ela, mais linda do que nunca, chegou já quase na hora de fechar a loja e me convidou:

— Meus pais esperam por você...

Meu coração acelerou-se. Suei frio, a boca secou. Os olhos brilhavam e todos os desejos guardados ficaram alegres.

No automóvel, o chofer, que era outro, mas tão atento quanto o anterior, conduziu-nos por longa distância, para longe do porto e distante da cidade central. Nós nos afastávamos e apenas a imensidão provocativa do oceano era uma referência na negritude da noite. Algum tempo depois, chegamos. Era uma casa grande, que ocupava quase meia quadra, com muros altos e um portão de ferro fundido escurecido e ricamente ornado com detalhes que algum anônimo serralheiro gastara muitos meses na execução do projeto. Perdi alguns segundos olhando admirado aquele portão, que me separava de uma vida nova e que eu cruzaria por tantas vezes nos anos seguintes de minha existência. Alguém abriu o portão e o automóvel entrou em uma ampla garagem, separada e distante muitos metros da entrada principal da casa. Descemos e caminhamos, Dora à frente, ciceroneando no caminho de pedras fixas no chão de grama aparada e

ELES

pequenos arbustos. Era um casarão erguido sobre uma base de cerca de um metro, com uma escada de uns oito degraus que nos levava à porta principal. Toda a lateral da casa era cercada por um alpendre emoldurado por arcos e parapeito de ferro retorcido e de estilo semelhante ao do portão. Cadeiras e bancos discretos e mesas redondas faziam parte da decoração. As janelas, muitas, misturavam madeira e vidro trabalhado, fosco, que mal dava para perceber se havia ou não iluminação dentro da casa.

Dora acionou a enorme maçaneta da pesada porta de madeira maciça e me permitiu ter acesso ao interior da casa onde ela morava com os pais.

— Aguarde um pouco — disse e indicou-me um banco de dois lugares, à minha direita, ladeado por um chapeleiro com espelho sem brilho e cheio de ranhuras e uma mesa retangular com um delicado abajur.

Sentei-me e fiquei olhando para baixo, para o belíssimo tapete onde eu repousava meus sapatos, com desenhos geométricos de rara sensibilidade. O ar era pesado e o ambiente escuro, com pouca iluminação, não me permitia ver muito além de dois metros com clareza. A espera foi curta. Dora aproximou-se e me convidou.

— Venha.

Levou-me, sem maiores mesuras, com uma certa frieza, para além daquele pequeno ambiente de espera por um corredor, onde contei cinco ou seis portas, todas fechadas, e chegamos a uma sala arredondada, com uma mesa de formato ligeiramente oval, iluminada de modo delicado por um imenso lustre que pendia do teto e se desdobrava em centenas de pingentes. Havia outros tantos móveis na sala, muito mais do que poderia imaginar, mas o que me chamou a atenção de imediato, tão logo olhei para a mesa, foi a presença de seis pessoas, todas adultas, todas mais ou menos com a mesma fisionomia. Não o mesmo rosto, mas a mesma fisionomia. Naquele momento, não soube entender bem essa diferença ou semelhança, que só fui compreender algum tempo depois, do rosto e da fisionomia.

— Minha família — disse apontando para aquelas pessoas, todas sentadas em um só lado da mesa oval.

CONTOS ASSOMBROSOS

Eu cumprimentei com um "boa noite" tímido, seguido por um gesto curto de tirar o lenço do bolso do paletó cinza riscado que eu vestia.

— Este é o Elias, de quem eu tenho falado para vocês.

O que a atmosfera me permitia observar, para além dos rostos diferentes e da fisionomia semelhante, vi que tanto a atitude quanto as roupas eram sóbrias. Apenas eu e Dora destoávamos do conjunto. Um deles, de voz calma e grave, me disse:

— Fale-nos de você, Elias.

Tive dificuldade em identificar qual deles tinha iniciado a conversa, pois eram parecidos, estavam para pouca prosa e o ambiente abafado não me deixava à vontade. Comecei a responder olhando para um deles, qualquer um e, aos poucos, em meio à minha fala trôpega, fui trocando o olhar para um e outro.

Falei de mim. De minhas intenções com Dora. Quando quis aprofundar um pouco mais as minhas boas intenções com Dora, fui interrompido por uma voz de uma das pessoas.

— Sabemos de suas intenções com ela. Nos fale mais de você.

Algum tempo depois, tempo que nunca soube precisar, se minutos ou horas, fui interrompido.

— Muito bem. Você é a pessoa que estivemos procurando para ser amado por Dora. Podem ir.

Dora me deu a mão e me puxou para a porta maior da sala. Saímos de lá e fomos para outra sala, esta menor, mais clara, com móveis mais suaves e uma namoradeira ao lado de uma janela fechada.

— Sente-se.

Eu me sentei e ela propôs:

— Vamos brindar este momento marcante em nossas vidas.

Dora abriu um pequeno bufê e retirou de lá dois guardanapos de tecido, dois copos e uma garrafa com um líquido levemente avermelhado. Deu-me um guardanapo e um copo. Despejou o líquido perfumado em meu copo e em igual quantidade no copo dela. Repôs a garrafa no bufê, aproximou-se de mim, deu um leve toque com seu copo no meu copo e disse:

— À vida, Elias. À vida eterna.

Bebemos o líquido, um licor de sabor delicioso, num só gole. Em seguida, delicada e atenciosa como nunca, Dora passou o seu guardanapo em meus lábios. Depois um de seus dedos fez carícias seguidas em meus lábios e finalmente, tanto tempo de espera, nós nos beijamos...

Quando dei por mim, abri os olhos, um pouco tonto, a cabeça girando, uma fraqueza suave dando conta do meu corpo, percebi que estava sentado em uma das cadeiras da mesa oval, um pouco distante dos outro seis adultos que antes me receberam e conversaram comigo.

Aos poucos fui retomando minha consciência. Eu ainda era o Elias, mas parecia que havia outra pessoa dentro de mim. Parecia loucura, mas era isso mesmo. Dentro de mim, dentro do Elias, cabiam e estavam duas almas: o Elias e... a Dora.

Um dos seis puxou a conversa.

— É isto mesmo, jovem. Você agora é um dos nossos. Dora se foi, mas deixou alguma coisa dela dentro de você. Devagar você compreenderá isso e outras coisas mais. Não tenha pressa, pois você terá muitos anos pela frente para aprender, entender e... aceitar sua nova vida.

Olhei para eles, queria protestar, perguntar, mas a única coisa que consegui balbuciar foi:

— Quem são vocês?

— Você quer saber quem somos nós? É isso? Já que agora você é um de nós...

— É... Não sei...

— Acalme-se e preste atenção. Não queira saber tudo de uma só vez. Você terá uma vida longa pela frente... Muito longa.

Um dos outros tomou a palavra. A voz era metálica, mas baixa, quase guardada e tímida.

— Somos... um ramo de uma família tradicional de nobres estrangeiros... Estamos buscando a dádiva da vida eterna. E nos aperfeiçoando nessa busca que um dia chegará ao fim e aí então teremos vida eterna. Por enquanto, precisamos de pouco para sobreviver. Algumas gotas de sangue de um jovem puro, de

CONTOS ASSOMBROSOS

bom coração e virgem. A cada sete anos, um de nós sai à procura de alguém para se apaixonar e ser apaixonado. Encontrado, esse alguém é trazido para cá, seduzido e expropriado do seu sangue. Gotas do seu sangue nos alimentarão por mais sete anos.

— Dora fez isso comigo?

— Fez. Da mesma maneira que, um dia, daqui a 49 anos, você fará com alguém...

— E onde está a Dora?

— Uma parte dentro de você, a outra parte lá fora. Voltou à vida de antes... Ela agora é o Elias. Tomou o seu lugar. Como você fará um dia com outra pessoa.

— Eu sou prisioneiro de vocês?

— Não... Não há mais você e nós... Agora somos todos nós uma mesma família. Se você quiser, pode sair quando preferir. Experimente, mas temos certeza de que não se acostumará...

Outro tomou a palavra.

— Agora vá para o seu aposento. Há mais coisas para você aprender.

— Venha – disse outro, que me conduziu pelo corredor e depois para um dos muitos quartos do casarão.

———

Ali comecei minha jornada de aprendizagem. Aprendi a conviver comigo e com a Dora dentro de mim. É impossível explicar isso, mas era a minha realidade. Éramos eu e Dora dentro de um mesmo corpo. De certa forma, ter Dora tão perto e tão disponível me ajudou a aprender, entender e aceitar minha nova vida. E me aceitar como um deles.

Dormia muito pouco, algo como duas ou três horas por noite. Mas isso pouco importava porque aprendi logo a controlar o tempo que se passava conforme meu desejo, mais rápido ou mais lentamente. Quase não comia e, quando comia, minhas rápidas refeições eram, na maioria das vezes, frutas. Aprendi rapidamente que não dava para sair de casa durante o dia. A luz do sol era fulminante, dolorosamente ácida e me tirava o controle total do corpo e da mente. Ninguém nunca me proibiu de sair, pois bastou a primeira tentativa e descobri a brutal limitação. Apenas à noite era possível sair e perambular pelas ruas escuras e pouco habitadas. Como não gostava de conversar, outra característica nossa, ficava andando sem destino, sem vontade, sem objetivo. O que tinha de interessante nessas jornadas noturnas é que meus passos podiam me levar onde quisesse num piscar de olhos. Bastava pensar e lá estava eu nos mais distantes lugares, países, regiões, cidades. Mas não nego que meu lugar preferido era o porto onde a loja do meu antigo pai ficava. As mudanças físicas dos lugares, o chamado progresso, eu acompanhei todas. Mas essas coisas diziam pouco ou quase nada para mim, pois eu tinha uma existência fora do tempo daquele mundo. Nunca mais vi a Dora e nem o Elias que eu fora um dia. Como se eles não existissem mais. Com o passar dos dias e anos, eu também já não era mais o Elias. Não tinha espelho na casa, mas eu sentia que minha aparência estava muito parecida com a "deles" e cada vez mais me distanciava do jovem que eu fora um dia. Tinha crescido uns 15 centímetros, emagrecido muito e minha pele arrastava um tom bege acinzentado, difícil de precisar melhor. O cabelo crescera até a altura dos ombros e depois parou definitivamente de crescer, adquirindo uma cor escura muito forte.

Fez parte do meu aprendizado lidar com traduções literárias. E isso me ajudou a aceitar minha nova condição. As muitas histórias que traduzi, a trabalho, permitiam que eu entrasse na vida dos personagens e trocasse por instantes a minha vida com a deles. Éramos todos, me parecia, personagens de ficção. As encomendas chegavam, eu fazia a tradução, com a facilidade de quem dominava uma imensidão de línguas, sem nunca tê-las estudado, e ficava aguardando a próxima. Eram sempre encomendas diferentes, traduções para línguas diferentes.

A cada sete anos, como previsto e explicado, naquela primeira noite na mesa oval, um de nós saía para a caça do seu jovem puro e virgem, o substituto. Minha vez chegou, 49 anos depois daquela primeira noite na sala da mesa oval. Deram-me as instruções e fui a campo. Andei, perambulei, olhei, senti, imaginei, tentei, mas não conseguia me apaixonar nem despertar paixão em nenhuma jovem. Nem mesmo minha sedutora referência literária conseguiu despertar paixões. Findo o prazo, perdemos a oportunidade. Por culpa minha, nos próximos sete anos, houve em nossa casa uma escassez terrível de sangue. Por pouco nossa existência não se degenerou completamente. Quase comprometi a busca pela vida eterna. Fomos salvos ao cabo do sétimo ano desse jejum alucinante por um dos nossos que conseguiu se apaixonar e ser amado com a paixão necessária. Trouxe consigo uma jovem que, seduzida e expropriada de seu sangue, nos deu sobrevida por mais sete anos.

Eu só consegui realizar minha tarefa depois de outros 49 anos ao me apaixonar por Elaine e fazê-la se apaixonar por mim. Essa é outra história que um dia contarei.

———

Enfim, hoje sou Elaine, uma jovem que carrega dentro de si pedaços das almas de Elias e Dora. Não sei como será viver isso. Talvez depois de ter descarregado minha história, a parte de que me lembro, possa estar preparado para viver uma nova história. Tenho um pouco de medo e estou assustado. Mas tenho que viver.

Já não sou mais um "deles". Sou Elaine e a vida continua.

O PACTO

Rubinho se lembrava com quase perfeição do dia em que ele e Tina fizeram o pacto. Estavam apenas os dois em casa, num final modorrento de domingo, sem nada para fazer, quando começaram a conversar sobre vida após a morte. Ele não acreditava nessa possibilidade e ela, nem crente nem descrente, ponderava que da vida os vivos pouco sabiam e da morte muito menos. Argumentava que só saberiam disso depois de mortos; mas, mortos, como fazer para falar com os vivos!? A conversa nem evoluiu muito além disso, na falta de argumentos de ambos os lados. Encerraram a conversa com uma promessa pactuada entre ambos: quem morresse primeiro, voltaria para conversar com o outro. De certa forma, naquele momento, o pacto, mais do que uma possível promessa pós-morte, significava uma promessa de amor eterno durante a vida.

Não era a primeira vez que ele vagava pelo cemitério. Nos últimos tempos, que ele não conseguia precisar com exatidão, voltava ao cemitério diversas vezes. Numa das vezes, viu Tina, próxima de outras pessoas, conversando a meia-voz, quase em silêncio, ela segurando uma fotografia amarrotada nas mãos. Aproximara-se dela, tentara tocá-la, chamou-a. Em vão, sua voz não fazia muito sentido no lugar onde Tina estava. Seu gesto não conseguia alcançá-la. Tentou ouvi-la, ouvir a conversa das pessoas que estavam com ela. Tam-

O PACTO

bém resultou inútil. As vozes eram fracas, suaves e embaralhadas. Perdiam-se, sem sentido. Tina mantinha o rosto sereno, como sempre, mesmo nas horas difíceis, a serenidade fazia parte de sua fisionomia, não importasse o que ia por dentro dela. "O pacto, Tina, o pacto...", tentava conversar com ela, mas também sua voz, como num pesadelo, não se fazia ouvir.

—

De outra vez, Tina estava com outras pessoas conversando numa sala. Parecia a sala de sua casa, mas como poderia ser se ele estava procurando por ela ainda no cemitério? Ela parecia mais ouvir do que falar. As pessoas que estavam com ela não estavam ali para velá-la, o clima era outro, talvez uma atmosfera de entendimento, de explicações, de busca de compreensão. Rubinho não conseguia identificar o rosto de nenhuma das outras pessoas que estavam com a Tina. Ele procurou à sua volta por alguém para ajudá-lo, mas não viu pessoa alguma. Talvez fosse mais tarde do que pudesse imaginar. Estava mesmo escuro e certamente não poderia haver mais ninguém no cemitério àquela hora.

Ficou quieto, buscando um silêncio que desconhecia existir para lhe fazer companhia naquele instante de sofrimento. Refez algumas lembranças de momentos seu com Tina. De quando se conheceram, de como se aproximaram e se apaixonaram. E de quando juraram amor eterno. As lembranças paravam por aí. Parecia ter um bloqueio depois. Ele não conseguia se lembrar muito mais além disso. Uma tarja escura o impedia de trazer à memória suas melhores lembranças com Tina.

—

Muitas coisas sem explicação. Como na vez que viu Tina, numa outra sala, vestida com roupa escura, junto com outras pessoas. Uma dessas pessoas era o seu irmão. Tina conversava com o irmão. Talvez com o irmão Tina conseguisse conversar. Ela mostrou ao irmão dele a fotografia que segurava na mão. A mesma que segurava nas outras vezes que Rubinho a vira. Não conseguia identificar nada na fotografia, mas viu quando o irmão a pegou e olhou por instantes para depois devolvê-la a Tina. Falaria com o irmão, perguntaria sobre isso, sobre a fotografia, sobre o encontro com a Tina. Ele teria explicações a

CONTOS ASSOMBROSOS

dar. Talvez o irmão também pudesse explicar porque ele ainda continuava a sentir o perfume suave da colônia preferida dela. Naquela vez, Rubinho sentiu-se muito fraco, desesperadamente fraco, como se as diversas tentativas de conversar com Tina estivessem exigindo muito esforço dele, um esforço que tragava sua energia. Parecia que estava ficando sem forças, perdendo aquela energia que possibilitaria a ele conversar com Tina. Lembrou-se de uma palestra que ouvira, em que um escritor explicava o seu momento de criação literária, como ele entrava no mundo da ficção para criar personagens, cenário e ação. Falava de uma certa passagem secreta que se abria de vez em quando e que, quando era aberta, tinha que aproveitar essa passagem. E que isso exigia dele um esforço grande, pois tinha que abandonar todo o seu universo e entrar em outro. Quando voltava, invariavelmente estava muito cansado, como se viver em outros mundos fosse extremamente cansativo e sugasse tanta energia. "Pode ser por isso", pensou, "toda vez que tento falar com Tina, minhas forças vão se esgotando...".

***

Rubinho insistia em voltar ao cemitério. Tinha uma vaga sensação de que era a única coisa que conseguia fazer nos últimos tempos. Afastara-se completamente dos amigos. Tinha apenas Tina no seu pensamento. A ausência dela dilacerava o que restara de sua alma, por isso a insistente busca, o retorno frequente ao campo dos mortos, a tentativa desesperada de falar com ela, cobrando o pacto que fizeram de amor eterno, mesmo após a morte.

"Tenho que falar com ela... Tenho que falar com ela... Tenho que falar... Tenho...", o pensamento fixo e o sentimento grudado tomavam conta do que restara dele.

***

Em uma das vezes, o esforço para falar com Tina foi tão grande que Rubinho teve a nítida sensação de que estava perdendo completamente o tênue fio de esperança de passar de um universo para o outro, como a ilustração feita pelo escritor. Conseguiu ver imagens diluídas, opacas, distantes. Mais uma vez, Tina estava com seu irmão por perto, ainda segurando a fotografia.

O PACTO

Havia outras pessoas. Pareciam parentes seus e dela, mas a falta de nitidez não permitia maior compreensão. As pessoas circulavam em um espaço pequeno, conversavam entre si, tentavam falar, serem ouvidas. Quase ouvia algumas palavras, frases soltas... "Descanse em paz... Está tudo bem... Rezaremos por você..." Esforçou-se para ouvir, para entender, mas as palavras iam e vinham qual uma sintonia mal feita de uma emissora distante. Eram ondas curtas e seu esforço muito grande, mas de pouco resultado. Fez tanta força que seu corpo sentia a fraqueza, seus ouvidos quase nada ouviam, suas narinas perdiam a lembrança da colônia preferida de Tina.

Ainda tentou outra vez, dessa feita procurou a capela do cemitério, lugar mais reservado, mais concentrado. Esperou até a ligação ser feita. Sentiu que precisaria de toda a sua já combalida força para falar com Tina, reatar o amor eterno, estabelecer o pacto que fizeram quando os dois ainda estavam vivos. Quando o fato se deu, Tina mantinha a pesada roupa escura e trouxe consigo outras pessoas, sua irmã, o irmão dele, dois amigos do casal, a mãe dela. Rubinho achou estranho, pois, excetuando-se Tina, todas as outras pessoas estavam vivas. "Como Tina consegue falar com seus entes queridos vivos, menos com ele?". Rubinho não ouvia nada, pois sentia-se muito, muito fraco. Conseguiu apenas ver a fotografia que Tina insistia em ter nas mãos. E o que ele viu estourou feito uma bomba: na fotografia estavam abraçados ele e uma mulher. E a mulher não era Tina. Era outra, "a outra".

O resto de energia que Rubinho ainda tinha permitiu a ele que fosse recordando as lembranças que a foto insinuava. A mulher na fotografia com ele não era Tina; era outra mulher em sua vida. Um novo amor que o fizera esquecer a jura de amor eterno com Tina. E a lembrança mais dura e mais difícil: quando Tina descobriu a traição e flagrou-o com a outra. Tina saindo desesperada em uma correria doida pela escada do prédio, Rubinho correndo atrás, chamando por ela, tentando um espaço para uma explicação desnecessária. Tina atravessa a rua e ele corre atrás dela... O veículo vindo na direção de ambos, o som de pneus rasgando o asfalto, o barulho seco de um atropelamento, um corpo atira-

CONTOS ASSOMBROSOS

do muitos metros adiante, uma sirene distante, a maca da ambulância, muitos dias no hospital entre a vida e a morte. Enfim, a morte vence e leva a alma do corpo atropelado.

As lembranças trouxeram a história real de volta a Rubinho. Tina, a fotografia, seus entes queridos, uma coroa de flores com os dizeres "descanse em paz", um cheiro forte de velas derretidas. Estavam todos vivos. As coisas agora faziam sentido. Eles estavam vivos, não havia mais amor eterno, nem pacto, nem conversa pós-morte.

Ele estava morto, havia tentado conversar com Tina, mas o pacto entre ambos havia sido rompido em algum lugar, num tempo perdido atrás.

EDSON GABRIEL GARCIA

Eu nasci em uma pequena cidade do interior paulista. Cresci entre ruas, chácaras, histórias e amigos. Depois quis ouvir e conhecer novas histórias e fui estudar em outra cidade.

Formei-me professor, aprendi outras histórias e fiz novos amigos. Quando cheguei a São Paulo, já era um professor que gostava muito de ler e escrever. E foi para meus alunos que escrevi minha primeira história. As histórias, os livros e muitas outras coisas foram acontecendo.

Continuei estudando, interessando-me por outros assuntos, tais como cidadania, comportamento e política, e escrevendo novos livros, novos gêneros literários. Alguns bateram asas e foram viajar em países estrangeiros, publicados em outras línguas. Muitos deles fabricando uma alegria imensa em minha vida, como este *Contos assombrosos*, um livro que mistura histórias recolhidas da boca do povo e outras inventadas em noites escuras. Livro para ser lido por quem tem nervos de aço.

Ainda moro e trabalho em São Paulo, cidade que amo muito, lendo e escrevendo sem parar. Muitas e muitas histórias depois, dezenas de livros publicados, continuo vivendo e escrevendo, misturando temas e procurando ideias para outros livros, para estes novos tempos.

Este livro foi impresso, em primeira edição,
em abril de 2018, em Pólen 90 g/m^2, com capa em cartão 250 g/m^2.